DUMONTS KLEINE

FEEST

LEXICON

INGREDIËNTEN • RECEPTEN • TIPS & TRUCS

Beate Engelmann e.a.

REBO
PRODUCTIONS

© 2009 Rebo International b.v.
Deze uitgave: © 2009 Rebo Productions b.v., Lisse

www.rebo-publishers.com
info@rebo-publishers.com

Concept en productie: Medien Kommunikation
Chef productie: Mathias Hinkerode
Tekst: Beate Engelmann, Martina Handwerker, Julien Pehle,
Henning Mohr, Carola Struck, Natalie Maag, Anja Hülsebrock

Vertaling en redactie: Cora Kool voor Textcase, Utrecht

Omslag: Minkowsky visuele communicatie, Enkhuizen

ISBN: 978 90 366 2434 3

Gedrukt in China

Inhoud

Voorwoord

VOORPRET & HET FEEST ZELF

Op elk moment van de dag wordt er wel ergens op de wereld feest gevierd. Want het ligt in de aard van de mens om met vrienden, familie of bekenden plezier te maken en van het leven te genieten. Er zijn dan ook oneindig veel mogelijkheden bij het geven van een feest: van vrolijke bijeenkomsten voor een klein aantal gasten tot en met cocktailparty's, themafeesten en uiterst chique gelegenheden.

Dit kleine lexicon wil u helpen om van uw volgende feest een doorslaand succes te maken, voor welke vorm u ook kiest. In dit boek staan meer dan honderd tips hoe u een feest optimaal kunt voorbereiden en hoe u het uw gasten echt naar de zin kunt maken.

Heel belangrijk voor het slagen van een feest zijn natuurlijk de hapjes die u uw gasten aanbiedt. Daarom ligt het accent in dit boek ook op recepten; voor elk soort feest vindt u speciale gerechten en hapjes. Deze zijn bedoeld als suggestie, om aan te geven wat u bepaalde gasten zou kunnen aanbieden. Bij de keuze van de recepten is met allerlei aspecten rekening gehouden: er zijn snelle, simpele en goedkope gerechten, maar ook duurdere, exclusieve recepten. Komen er veel gasten of juist weinig, u kunt volop ideeën opdoen. Toch zijn de recepten in dit boek allemaal bedoeld voor twaalf personen. We zijn er namelijk van uitgegaan dat op een feest altijd verschillende gerechten worden aangeboden. U kunt de in de recepten genoemde hoeveelheden natuurlijk altijd halveren of verdubbelen om ze aan het aantal gasten aan te passen.

Bij alle recepten staat een informatiekadertje dat de moeilijkheidsgraad, de kosten en de bereidingsduur aangeeft. De symbooltjes hebben daarbij de volgende betekenis:

- LUCHTBALLONNEN: het aantal luchtballonnen verwijst naar de moeilijkheidsgraad bij het koken of bereiden: van één ballon voor 'simpel' tot drie ballonnen voor ingewikkelde recepten.
- MUNTEN: hoe goedkoop is het gerecht? Eén munt betekent 'erg goedkoop', drie munten slaat op dure ingrediënten.
- KLOKKEN: één of twee klokken verwijzen naar de bereidingstijd: kort of iets langer. Een blauwe klok betekent dat een gerecht prima vooraf kan worden bereid.

Maar, los van het eten en drinken: feesten zijn er in de allereerste plaats voor bedoeld om plezier te hebben. In die zin wensen wij u voor uw volgende feest een vrolijke tijd, een uitgelaten sfeer en enthousiaste gasten!

Yara Hackstein

Écht feestvieren

Van meet af aan plezier

ONVERGETELIJKE FEESTEN

Het organiseren van een feest is heel simpel: nodig een paar vrienden uit, maak wat eten klaar, zorg voor drankjes – en u kunt zich al in het feestgedruis storten. En ook

al geldt zeg maar deze basisuitrusting voor feesten van over de hele wereld: in de grote stroom aan uitnodigingen die een mens in zijn leven krijgt, springen sommige feesten er duidelijk uit. Ze blijven je altijd bij, jaren later wordt er in de vriendenkring nog over gepraat en enthousiast over verteld.

Of een feest dat u zelf organiseert op een dag ook tot dat soort onvergetelijke gebeurtenissen zal gaan behoren, kun je niet van tevoren zeggen. Alles staat of valt met de gasten, met hun stemming en met kleine randgebeurtenissen.

Maar het komt vooral aan op de eigen impressies. Wie op een feest bijvoorbeeld de man of vrouw van zijn leven ontmoet of verliefd wordt, zal die avond waarschijnlijk nooit

vergeten. En omgekeerd: ben je erg moe of heb je met allerlei grote problemen te kampen, dan is de kans klein dat je
echt in een feeststemming komt.

Maar toch: ook al is er van tevoren geen waarborg
voor succes, je kunt er toch heel veel aan doen om te zorgen dat een avond als bijzonder en uniek zal worden her-
innerd. Niet voor niets zijn het daarom vooral de met veel
liefde en toewijding voorbereide feesten die iemand bij-
blijven: een bijzonder geslaagde viering van een kroonjaar,
een fantastisch themafeest of een bepaalde familiebijeen-
komst. Doorgaans is het zo dat de gastheer of gastvrouw
bij dergelijke gelegenheden lang nadenkt over die dag en
kosten noch moeite spaart om het de gasten naar de zin te
maken en te zorgen voor een goede sfeer.

Net als in het gewone
leven geldt voor feesten: succes komt je niet aangewaaid.
Tot op zekere hoogte is het
maakbaar.

Daarbij heeft de ervaring
geleerd: hoe meer er van
tevoren over het feest wordt
nagedacht, hoe georganiseer-
der de voorbereidingen verlopen. Alle inzet wordt op de
avond zelf beloond. Een
voorbeeld: als er gedanst
gaat worden, moet de juiste
muziek worden gedraaid. En

die moet voor het grijpen liggen. Natuurlijk kun je de nummers ook tijdens het feest bij elkaar zoeken; maar de kans op succes is veel groter als er al vooraf een lijst klaarligt met de beste feesthits, die vervolgens onafgebroken voor topdrukte op de dansvloer zorgen. Dit voorbeeld toont aan dat het bij de voorbereidingen niet alleen om 'werk' gaat. Het samenstellen van een goede lijst met dansnummers is gewoon leuk. Net als het koken en de aankleding.

Goede feesten beginnen in het hoofd van de gastheer/gastvrouw. Als die met hart en ziel te werk gaat, goede ideeën heeft, zich volop inzet en alles met plezier voorbereidt, dan is de kans groot dat de gasten na afloop zeggen: dat was een onvergetelijke avond!

De tien beste tips voor de planning

ALLES GOED DOORDACHT

Of er nu een verjaardag, een housewarmingparty of een promotie wordt gevierd: over een goed feest moet van begin af aan goed worden nagedacht:

DE JUISTE TIMING

Het succes staat of valt met de juiste dag. Want zelfs het beste idee voor een feest zal mislukken als er maar weinig vrienden kunnen komen. Houd daarom rekening met het volgende: wie zijn er wel of niet op de geplande dag, zijn er bijvoorbeeld mensen op vakantie of op zakenreis? Valt de dag samen met andere feesten of aantrekkelijke evenementen, zoals een belangrijke sportwedstrijd of een feest in de stad? En: wat is er de volgende dag te doen? Kunnen de gasten op die dag namelijk uitslapen, dan kunnen ze onbezorgd feestvieren.

Organisatie en thema

De volgende stap is het stellen van de vraag: wat voor soort feest wil ik het liefst geven? Bijvoorbeeld een bijzondere cocktailparty, een ongedwongen bijeenkomst, een chic feest? Er zijn oneindig veel mogelijkheden. Dat is zeker het geval als de avond een bepaald thema heeft. Dan behoren 'all in white', een gekostumeerd bal of een folkloristisch feest tot de mogelijkheden (zie ook bladzijde 176). Ook kunt u daarbij denken aan een spelletjesavond of een feest met livemuziek.

Het aantal gasten

Alleen als bekend is hoeveel mensen er zijn uitgenodigd en hoeveel er daadwerkelijk komen, kan een feest goed worden gepland. Het aantal personen is namelijk voor een aantal andere stappen van grote betekenis, zoals het organiseren van het buffet, het inkopen van de drank en het aantal zitplaatsen.

Het budget

Om te voorkomen dat u voor onaangename   verrassingen

komt te staan, is het belangrijk een goed budget te maken. Denk daarbij niet alleen aan de uitgaven voor eten en drinken, maar ook aan eventuele bijkomende kosten. Moet er bijvoorbeeld iemand worden ingehuurd voor de muziek of de verlichting? Zijn er gasten die ergens moeten worden ondergebracht voor de nacht? Zijn er extra uitgaven voor de aankleding? Het is het beste om een goed overzicht te maken van alle te verwachten kosten, zoals het buffet, de drank en ook de vergoeding voor de hulp die wordt ingeschakeld.

DE FEESTRUIMTE

Is ongeveer bekend hoe groot het feest zal worden, dan moet u nadenken over de te gebruiken ruimte. Zijn keuken en woonkamer of terras en tuin groot genoeg, of moet er een andere lokatie worden gezocht? Bij tuinfeesten moet er bovendien aan worden gedacht of er bij slecht weer een uitwijkmogelijkheid is. En als er wordt gedanst, dan rijst de vraag waar en hoe de dansvloer moet worden aangekleed. En last but not least: zijn er gasten die van ver komen, dan moeten die ergens worden ondergebracht voor de nacht.

Tafels en stoelen

Nauw verbonden met de te kiezen feest-
ruimte is de kwestie van de zitplaatsen: gaan
de gasten aan een – al dan niet feestelijk
gedekte – tafel zitten of wilt u liever wat meer
beweging en communicatie? In het eerste
geval hebt u genoeg stoelen nodig, in het
tweede geval is het belangrijk dat er voldoende statafels zijn. Heel belangrijk is ook
waar bijvoorbeeld het buffet komt te staan,
waarop de diverse gerechten worden uitge-
stald en ook waar de gasten hun borden
kwijt kunnen.

Het eten

Al voordat u gaat bepalen welke gerechten u
wilt serveren, moeten er wat het eten betreft
een aantal beslissingen worden genomen. Er
zijn drie mogelijkheden: zelf koken, een feest
organiseren waarbij iedereen iets te eten meeneemt of een professioneel cateringbedrijf in
de arm nemen. U kunt ook denken aan een
gecombineerde vorm: een deel zelf koken en
de rest door vrienden of een cateringbedrijf
laten bereiden. Ook moet u bepalen wat het
uitgangspunt bij het eten is, dus of u warme
en/of koude gerechten aanbiedt of bijvoorbeeld een barbecuefeest wilt organiseren.

DE DRANKJES

Het is beslist niet zo dat u op een feest alleen bier, wijn, water en andere standaarddrankjes moet serveren: een heel bijzondere aantrekkingskracht heeft bijvoorbeeld een echte cocktailparty met de meest uiteenlopende gemixte drankjes. U kunt de drankjes echter ook aan het thema van het feest koppelen en voor een mediterraan feest bijvoorbeeld kiezen voor uitsluitend Italiaanse drankjes. U biedt uw gasten dan alleen drankjes als aperol, prosecco, pellegrino en bardolino aan.

DE AANKLEDING

Een mooie omgeving siert elk feest. Daarom moeten bepaalde beslissingen worden genomen over de aankleding. Dat kan ook het besluit zijn om helemaal niets bijzonders te doen, dus de vertrekken min of meer zo te laten als ze zijn. In dat geval moet u aan een paar kleine dingen denken die u moet doen, zoals het neerzetten van kaarsen of het leegmaken van tafels. Veel meer tijd om over na te denken vragen de ingrijpender aankledingsideeën en -wensen. Denk daarbij aan themafeesten, zoals een feest naar aanleiding van een beslissende voetbalwedstrijd: wat voor mogelijkheden zijn er voor de aankle-

ding en voor bijpassende accessoires? Waar en hoe breng ik die in het vertrek aan, zodat een geslaagde, bij het thema passende sfeer ontstaat? Dat zijn de belangrijkste vragen. En vooral ook: waar haal ik alle spullen en wat kosten ze?

HET FEEST ZELF

Een feest kan alleen slagen als er goed is nagedacht over het verloop. Dit geldt vooral voor verjaardagsfeestjes. Er moet al vaststaan wanneer op de jarige wordt geklonken. Maar ook wanneer bijvoorbeeld een toespraakje, een muzikale voordracht of een spelletje zal gaan plaatsvinden.

En ook bij allerlei andere feesten kan al bij voorbaat het verloop worden vastgesteld: van de ontvangst (met eventueel een glas champagne) en het openstellen van het buffet tot en met het organiseren van een 'opruimfeestje' de volgende dag. Het is ook goed om wat kleinere dingen vast te leggen. Wordt er bijvoorbeeld rond middernacht nog een kleine snack verstrekt? Of: wanneer begin ik met de dansmuziek en wanneer moet de muziek weer zachter, in verband met geluidsoverlast?

De voorbereiding

EEN FEEST PERFECT ORGANISEREN

Bij feestjes is het net als in het gewone leven: wie stap voor stap te werk gaat, alles overdenkt en dit dan consequent uitvoert, legt de basis voor succes. De volgende punten zijn belangrijk:

DE UITNODIGING

Staat de dag vast, dan moet de uitnodiging ruim van tevoren – minstens vier weken – worden verstuurd. Het is het beste om eerst een lijst te maken van alle personen die u graag op het feest wilt ontvangen. Dan bent u ervan verzekerd dat u bij de uitnodiging niemand vergeet. In dit computertijdperk is een e-mail natuurlijk een praktische oplossing. Als u om een antwoord vraagt, hebt u ook meteen een goed overzicht wie er allemaal komen. Maar: het moet wel wat meer zijn dan een tekstje waarin alleen de feiten worden genoemd. Een kleine Clipart-

afbeelding of een digitale foto maken
een uitnodiging al wat vrolijker. En
het zou leuk zijn als de tekst een beetje humoristisch is. Maar hoe praktisch
internet ook is: een schriftelijke uitnodiging per post is natuurlijk stijlvoller
– zeker als u die met de hand schrijft
en de tekst op de ontvanger afstemt.

Eén ding is daarbij echter taboe: zo'n
algemene, onpersoonlijke, op de com-
puter gemaakte brief. Dan toch maar
liever een e-mail!

ETEN EN DRINKEN

Een goed gastheer is te herkennen
aan het feit dat hij bij de keuze van
het eten en drinken aan zijn gasten
denkt, en niet alleen aan zichzelf! Wat
de drankjes betreft, betekent dat concreet; hij houdt rekening
met bierdrinkers, met liefhebbers van wijn, met mensen die
nog auto moeten rijden en met gasten die liever een cocktail
drinken.

In het ideale geval is de voorkeur van de gasten bekend,
bijvoorbeeld als het om wijn gaat. Drinken ze liever rode
wijn, witte wijn of rosé? Is het niet helemaal duidelijk wat de
diverse gasten graag drinken, of wat om gezondheidsrede-

nen juist niet, dan kunt u daarnaar informeren. U voorkomt daarmee teleurstellingen en geeft uw gasten het gevoel dat er speciaal aan hén is gedacht als bijvoorbeeld een bepaalde lightfrisdrank beschikbaar is. Dat betekent natuurlijk niet dat u iedereen een complete voorkeursbehandeling moet geven. Maar als dat soort dingen vrij eenvoudig te achterhalen is, is het zeker de moeite waard om ernaar te informeren.

Los daarvan moet natuurlijk ook aan de standaarddrankjes worden gedacht. Dat betekent concreet dat er bijvoorbeeld voldoende mineraalwater moet zijn. Bovendien moet er altijd gekozen kunnen worden uit verschillende alcoholische en uit allerlei niet-alcoholische drankjes.

BASISVOORWAARDEN

Om ervoor te zorgen dat de gasten zich goed voelen, moet aan bepaalde basisvoorwaarden worden voldaan, net als in een restaurant. Daar verwacht je een behoorlijke zitplaats, schoon servies, lekker eten en een smaakvolle omgeving. Voor een feest betekent dit: er moet aan allerlei kleinigheden worden gedacht – van voldoende borden, glazen, servetten en asbakken tot en met een garderoberuimte. Ook mag het bijvoorbeeld nooit voorkomen dat het toiletpapier op is. Wie op deze punten slordig is, maakt het zich onnodig moeilijk.

De juiste muziek

Zonder goede muziek is een echt leuk feest bijna ondenkbaar. Dat betekent niet dat de ene na de andere feesthit uit de boxen moet galmen. Integendeel, de muziek moet bij de sfeer passen. Aan het begin van het feest, waar het vooral om de gesprekken gaat en niet om het dansen, zijn rustiger nummers beter. Bij het dansen gaan het volume en het tempo dan omhoog, en vervolgens aan het eind van het feest weer wat omlaag. Het is het beste om verschillende lijsten met te draaien nummers te maken, die afhankelijk van de stemming worden gebruikt. Zo bepaalt de sfeer het feest – de muziek moet die onderstrepen, niet overheersen.

Het eten

DE TE VOLGEN STAPPEN

Wat moet er te eten zijn? Dat is een van de belangrijkste vragen bij het voorbereiden van een feest. Kookt u zelf, dan moet u, van de receptideeën tot het of tafel zetten van de gerechten, de volgende stappen doorlopen:

▬ DE ALLEREERSTE BESLISSING

Ga ik warme of koude schotels serveren, of een combinatie? Voor wat voor soort warme gerechten kies ik? Soepen, vlees, aardappels/rijst/pasta of voor bijvoorbeeld pizza?

▬ TIJD EN KOSTEN

De keuze die wordt gemaakt, hangt voor een groot deel af van de beschikbare tijd. Maak vooraf een goede schatting hoeveel tijd u kunt investeren en wat er in die tijd haalbaar is. Ook moeten de kosten voor het eten worden bepaald, want ook dat is van invloed op de recepten die worden uitgekozen.

■ RECEPTEN UITZOEKEN

Vervolgens worden de afzonderlijke recepten gekozen – met op de achtergrond de tijd die ter beschikking staat, de kosten voor het inkopen van de ingrediënten en eventueel het thema als het om een themafeest gaat.

■ DE INKOPEN

Dan wordt een lijst gemaakt van ingrediënten die moeten worden aangeschaft. Vergeet daarbij vooral niet de dingen die op geen enkel buffet mogen ontbreken: brood, boter, zout en peper. Maak voor het doen van de boodschappen een goed overzicht. Wat koop ik in de supermarkt, op de weekmarkt of bij de slijter, en ook wanneer? Een groot deel van de boodschappen kan al van tevoren worden gekocht, maar dat geldt niet voor bijvoorbeeld brood, sla en groenten. Die worden bij voorkeur op de dag zelf gekocht.

■ HET KOKEN

Eén tot twee dagen voor het feest begint doorgaans het werk in de keuken. Ook hier is een goede planning heel handig. Wat kan ik voorbereiden en wat moet ik op de dag zelf koken? Hoe serveer ik de gerechten? Of: heb ik voldoende ruimte om te koelen en hoe houd ik de gerechten warm op het feest?

■ GARNEREN EN DECOREREN

Begin vlak voor het feest met garneren en decoreren – tenslotte wil het oog ook wat.

TIPS VOOR DE RECEPTEN EN HET KOKEN

Het maken van een geslaagd buffet of een lekker menu hoeft niet te ontaarden in overdreven veel stress als u rekening houdt met een paar basisregels.

BEKENDE & NIEUWE RECEPTEN

Kies vooral voor gerechten die u al vaker hebt gemaakt. De tijd die hiervoor nodig is, kan dan veel beter worden ingeschat. Ook als u niet altijd hetzelfde wilt koken, moet u niet opeens te veel nieuwe gerechten gaan uitproberen. Dat geldt zeker als u nog niet zo veel ervaring hebt met het koken voor feestjes. Een combinatie van bekende en nieuwe gerechten is het beste.

UITEENLOPENDE GERECHTEN

Het is verstandig om voor een buffet – net als bij een menu dat uit meerdere gangen bestaat – te kiezen voor uiteenlopende soorten gerechten. Naast kleine hapjes moet er dus ook eten zijn dat wat voedzamer is. Behalve groente moet er ook vlees of vis zijn en tot besluit iets zoets of kaas. Een vleesgerecht kan ook prima worden vervangen door een maaltijdsalade met vlees, door soep of door een ovenschotel.

Het is belangrijk om een goede combinatie van gerechten te maken, dat wil zeggen gerechten die pas kort van tevoren kunnen worden gemaakt én schotels die u kunt voorbereiden; snelle gerechten én recepten die meer tijd vragen. Houd daarbij ook rekening met gerechten die kunnen worden ingevroren (zoals soep, pasta, sorbets).

APPARATUUR EN SERVIES

Bij het samenstellen van de gerechten moet u ook rekening houden met de apparatuur en het serviesgoed dat u ter beschikking hebt. Hoe beter u het gebruik van bijvoorbeeld de oven of die grote pan plant, hoe soepeler het koken van de diverse gerechten voor het feest zal verlopen! En denk daarbij niet alleen aan het opbakken van brood in de oven, maar ook aan het warm houden van gerechten op het feest zelf.

HOEVEELHEDEN BEREKENEN

Vooral bij buffetten – zowel koud als warm – is het niet altijd eenvoudig om de hoeveelheden helemaal nauwkeurig te berekenen. Je weet bij grote feesten bijvoorbeeld vaak niet hoeveel gasten er daadwerkelijk komen en vooral ook niet hoeveel trek ze hebben. Bij twijfel is het daarom beter om alles ruim te nemen!

Hoe meer gerechten de gasten krijgen aangeboden, hoe kleiner de omvang ervan kan zijn. Maakt u bijvoorbeeld alleen een grote pan soep, dan moet de hoeveelheid aanmerkelijk groter zijn dan wanneer er bijvoorbeeld ook nog een paar salades zijn. Normaal gesproken wordt bij een feestelijk buffet voor de gerechten uitgegaan van zo'n 400 tot 500 gram per persoon. Dit is dan gebaseerd op de gerechten als ze klaar zijn, dus niet op het afzonderlijke gewicht van de ingrediënten. Daar komt het brood nog bij. Daarvoor wordt uitgegaan van zo'n 100 gram per persoon.

Bij fingerfood moet u rekenen op acht tot tien hapjes per persoon. Het moeten minstens vier verschillende soorten zijn, waaronder een zoet hapje als dessert.

De recepten in dit lexicon zijn in principe bedoeld voor twaalf personen, maar daarbij zijn ze wel altijd een van meer gerechten.

DE BOODSCHAPPEN

De boodschappenlijst kan al een paar weken voor het feest worden gemaakt. Want zeker voor grote feesten kost het boodschappen doen vaak veel tijd. Om tijd en kosten te besparen, moet u zich het volgende afvragen:

Wat moet ik allemaal kopen en waar doe ik dat? Dus bijvoorbeeld de basisbenodigdheden als bloem, suiker en conserven in de supermarkt, vers fruit en verse groenten bij de groenteboer of op de markt, artikelen voor de versiering en kaarsen in een warenhuis, enzovoort.

Wanneer doe ik de boodschappen? Veel dingen kunt u al lang van tevoren kopen, zoals diepvriesproducten. Andere artikelen moet dagvers zijn, bijvoorbeeld vis en zeevruchten. In dit verband moet u ook aan het volgende denken: waar bewaar ik grote hoeveelheden levensmiddelen en de gerechten die ik voor het feest heb gemaakt? Moeten ze worden ingevroren, dan moet u bijtijds de vriezer controleren en eventueel ruimte maken. U kunt natuurlijk ook bij uw buren vragen of u bij hen wat salades in de koelkast kunt zetten.

Tot slot moet u bedenken wat u allemaal van tevoren moet bestellen. Grotere hoeveelheden of speciale vleessoorten, maar ook het brood of bijzondere bloemdecoraties kunt u het beste tijdig bestellen.

GERECHTEN VOORBEREIDEN

Wie een groot buffet organiseert, kan meestal niet alles op de dag zelf klaarmaken. Het koken verloopt veel ontspannener als u dit verdeelt over meerdere dagen.

EEN PAAR DAGEN VOOR HET FEEST

Een paar dagen van tevoren kunt u de hartige taarten maken en invriezen. Ook kunt u bijvoorbeeld de antipasti al maken en vervolgens bewaren in goed afsluitbare potten of dozen in de koelkast.

EEN DAG VOOR HET FEEST

Een dag voor het feest kunt u talloze gerechten al voorbereiden.

■ Soepen, salades en dergelijke maken.

■ Maaltijdsalades als aardappel-, rijst- of pastasalade voorbereiden (bijvoorbeeld groente koken en snijden, dressings maken). Veel salades smaken op hun best als de aroma's een dag lang kunnen intrekken!

■ Deegflapjes die warm worden geserveerd, kunt u alvast voorbakken. Vlak voor het feest worden ze

dan afgebakken of in de oven verwarmd. Deegflapjes die koud worden gegeten, kunt u al gaar bakken.

■ Dipsauzen en spreads maken.

■ Desserts als compote, sorbet en bepaalde pudding-soorten bereiden, zeker pudding die moet opstijven.

■ Taarten bakken.

■ Groentesoorten als paprika, wortels, kool en ui schoonmaken, snijden en in vershouddozen in de koelkast bewaren.

■ Drankjes moeten nu worden gekoeld.

■ Bepaalde ingevroren ingrediënten of gerechten nu al ontdooien en in de koelkast zetten. 's Winters en als de buitentemperatuur 's nachts beneden de tien graden ligt, kunt u gerechten in principe 's nachts ook buiten koelen.

DE DAG VAN HET FEEST

Was er voldoende tijd om het feest voor te bereiden, dan zijn er op de dag zelf nog maar een paar dingen te doen.

▬ Het kopen van de laatste levensmiddelen, zoals vis, zeevruchten, tere sla- en fruitsoorten.

▬ Het ophalen van de bestelde boodschappen, bijvoorbeeld brood en bloemen.

▬ Het ontdooien van de laatste diepvriesproducten.

▬ Het bereiden van verse gerechten als salades en dessert, eventueel het braden van vis en vlees

▬ Het afmaken of verfijnen van de voorbereide gerechten, het nog een keer op smaak brengen van salades, het toevoegen van verse kruiden en dressings.

TAFEL DEKKEN/DECOREREN

In het ideale geval is er nog voldoende tijd om de gemaakte gerechten of het volledige buffet met grote aandacht klaar te zetten en te decoreren. In elk geval moet u daarvoor een half-uur uittrekken. Het is niet alleen belangrijk om de gerechten voor het oog aantrekkelijk te presenteren, maar u moet ook denken aan de praktische kant.

■ Let op de juiste volgorde: in de looprichting moeten eerst de borden staan. Dan komen de voorgerechten en de hoofdgerechten. Vervolgens brood en boter, zout en peper, bestek en servetten. Fruit, zoete gerechten en gebak kunt u, net als het bijbehorende serviesgoed en bestek, een afzonderlijke plaats geven.

■ Gastvrij: exacte beschrijvingen van gerechten die niet meteen goed te herkennen zijn, zoals allerlei dipsauzen. Het is het beste om kleine bordjes/plaatjes te maken, die dan in de vorm van vlaggetjes bij het gerecht worden gezet. Ook bijzonderheden als 'vegetarisch' of 'suikervrij' zijn op die manier te achterhalen.

■ Mooi versieren: het buffet zelf moet 'vol' overkomen. Vul daartoe de ruimtes tussen de schotels op met bijvoorbeeld natuurlijke materialen of decoratieartikelen. Ideaal is het als ze bij de gerechten passen, bijvoorbeeld een bosje tijm bij een mediterraan gerecht.

■ Voldoende licht: dit is absoluut noodzakelijk. Alleen dan kunnen de gasten zien wat er op hun bord komt en kunnen ze genieten van de aanblik van het buffet.

Tip voor het versieren

MET LIEFDE DECOREREN

Hoe sterk de aandacht ook uitgaat naar het voorbereiden en garneren van het eten, het beeld wordt pas compleet door mooie versieringen. Hier een aantal effectieve tips en trucjes voor perfecte feestdecoraties.

EEN BASISIDEE BEPALEN

Er zijn oneindig veel mogelijkheden om een vertrek te versieren. Daarom is het verstandig om allereerst een hoofdthema voor de decoraties vast te stellen, zodat u in een bepaalde richting kunt denken. Bij feesten die een bepaald thema hebben, zoals 'all in white' of 'western', is de keus niet zo moeilijk. Ook bij andere feesten kunt u een decoratiethema kiezen, bijvoorbeeld 'bont en vrolijk', 'passend bij het seizoen' of 'stijlvol'.

Opvallende details

Bij het decoreren zijn het vaak de details die het pas echt sfeervol maken, kleinigheden waaraan meteen te zien is dat de gastheer of gastvrouw moeite heeft gedaan. Dergelijke details zijn met wat creativiteit en toewijding eenvoudig te maken: een paar knikkers onder ondersteboven gezette glazen, of mooi gevouwen servetten. Ook bijpassende accessoires op tafel, op boekenplanken of op het buffet kunnen een belangrijk stempel drukken op de totaalindruk.

Klassieke feestversieringen

Iedereen kent ze: luchtballonnen, slingers, serpentines – de klassieke decoratieartikelen voor feesten. En iedere gast weet dan ook meteen: hier wordt feest gevierd! Natuurlijk is dit alleen niet voldoende voor de perfecte feestversiering, maar ze zetten wel een kleurrijk puntje op de i.

LET OP DE EENHEID

Hier een paar bonte slingers, daar een chic bloemstuk en in een derde hoek weer wat andere accessoires: op die manier ontstaat geen harmonieuze totaalindruk. In het ideale geval ademt alles dezelfde sfeer uit: van de decoraties op het buffet en op de tafels tot en met de versieringen ter verwelkoming bij de voordeur.

HET JUISTE LICHT

De verlichting is zeker ook bepalend voor de sfeer. Voor feesten binnenshuis geldt dat het niet te licht mag zijn, zeker niet fel verlicht. Het is het beste om in het vertrek verschillende lichtbronnen te gebruiken en daarbij meer de zijkanten dan het midden van het vertrek te verlichten. Dat gaat heel simpel door over het hele vertrek wat kaarsen neer te zetten en lichtslingers aan te brengen. Wordt er gedanst, dan is gekleurd licht heel aantrekkelijk. Bij de meeste lampen kunt u daartoe de standaardlampjes vervangen door gekleurde peertjes of de halogeenlampen vervangen door andere verlichting. Vindt het feest in de tuin of op het terras plaats, dan zorgen lampions en fakkels voor sfeervol licht.

KLEUR BIJ KLEUR

Kleuren spelen bij de versiering een heel belangrijke rol. Het is altijd heel sfeervol als voor een vertrek voor een bepaald kleuren-concept wordt gekozen. Kiest u bijvoor-beeld voor 'bont', dan moet u zorgen voor opvallende kleuren en zeker niet voor aar-detinten. Donkerrood in combinatie met groen komt romantisch over, wit dat met een of twee kleuren wordt aangevuld, doet elegant aan.

DE MUREN

In de winkel zijn vooral decoratieartikelen voor tafels en rekken/open kasten verkrijg-baar. Maar ook de muren bepalen voor een belangrijk deel de sfeer in het vertrek. U kunt ze met slingers of luchtballonnen versieren, maar bijvoorbeeld ook met lappen stof of mooie doeken.

SEIZOENSINVLOEDEN

De seizoenen zijn op feesten altijd present, zoals de zomer bij een tuinfeest. Simpel en snel, goedkoop en doeltreffend zijn daardoor decoraties van natuurlijke materialen van het seizoen die de sfeer benadrukken, zoals herfstdecoraties met appels, bladeren en kastanjes.

Neem de tijd voor de details

'Langzaam maar zeker' – die kleine levenswijsheid geldt ook bij het decoreren. Natuurlijk kunt u voor een spontaan feest ook snel en met weinig inspanning iets leuks tevoorschijn toveren (zie ook bladzijde 52). Maar verder geldt: wie goed nadenkt wat hij wil doen en dan rustig en met liefde voor detail te werk gaat, bereikt de beste resultaten. En: meestal neemt ook het versieren meer tijd in beslag dan u denkt.

Spontane feesten

Snel & simpel

HET LIJKT WEL TOVEREN!

De leukste feesten ontstaan vaak gewoon spontaan, bijvoorbeeld als u met vrienden naar de film bent geweest en zin hebt om nog wat tijd met elkaar door te brengen. Of na een feestelijke bijeenkomst op kantoor, als u met uw favoriete collega's impulsief besluit om nog even door te feesten.

Vaak wilt u dan wat meer op tafel zetten dan alleen chips of toastjes, en snel en gemakkelijk wat heerlijke lekkernijen uit de hoed toveren.

Datzelfde geldt als er maar weinig tijd is om een feest voor te bereiden. Dan moet het 'snel en simpel' gaan. En als u op de juiste manier te werk gaat, verloopt dat betrekkelijk soepel: u hebt een paar creatieve recepten nodig die in een handomdraai te maken zijn. Daartoe behoren knapperige salades en verse dipsauzen, maar ook eenvoudige, maar heerlijke groentevariaties.

DE BESTE TIPS: SNEL EN SIMPEL

Hebt u maar weinig tijd voor de voorbereidingen, dan hoeft dat zeker niet te betekenen dat het niet één groot feest kan worden.

SAMEN KOKEN

Het is zeker zo dat u de handen moet laten wapperen, maar waarom alleen u? Samen is het veel leuker en gaat het ook een stuk sneller – maar dan moet het werk wel goed verdeeld worden: één iemand snijdt de groenten, een ander maakt de sla schoon en weer een maakt de dressing. Op die manier is het vooraf al feest.

NIET EXPERIMENTEREN

Zeker als alles snel moet verlopen, moet elke tegenslag worden voorkomen. Het is nu niet het moment om te experimenteren. U kunt zich het beste concentreren op heel simpele recepten of op gerechten die u op uw duimpje kent. U kunt bijvoorbeeld in de periode voor het feest een van de recepten bij 'Snel en simpel' uitproberen – dan weet u zeker dat u goed zit: zowel wat het koken als wat de smaak betreft.

KANT- EN KLAARPRODUCTEN AANPASSEN

Ook al is het kort dag, u mag beslist niet alleen kant-en-
klaarproducten gebruiken. Maar om alles nu zelf te gaan
koken, daarvoor ontbreekt de tijd. Neem gewoon de gulden
middenweg: er zijn talloze kant-en-klaarproducten die u
heel goed als basis voor eigen creaties kunt gebruiken. U
kunt daarbij denken aan mayonaise, die u met kruiden of
andere ingrediënten tot een fantastische dipsaus omtovert.
Of aan stukjes tomaat uit blik waarvan u een salsa maakt,
maar ook aan bladerdeeg, dat u tot een bakje kunt vormen
dat u vervolgens vult en even in de oven zet.

SNELLE DECORATIES

Ook bij een snel buffet voor een spontaan feest geldt: het oog wil ook wat. En het hoeft echt niet zo veel moeite te kosten om alles er net wat leuker en aantrekkelijker te laten uitzien. Met een beetje creativiteit en een paar simpele ideeen bent u al uit de brand. Hier wat suggesties.

SIERADEN ALS BLIKVANGER

Met enkele sieraden kunt u bij een buffet voor mooie accenten zorgen. Als u simpelweg wat kettingen rond of tussen de kommen en schalen legt, ziet het geheel er meteen veel chiquer en aantrekkelijker uit.

BLOEMBLAADJES STROOIEN

Bloemen doen elke kamer eer aan – en elke tafel! Dat geldt ook voor bloesem of bloemblaadjes. Met als bijkomend voordeel dat u hiermee meteen een groter oppervlak van een prachtige decoratie kunt voorzien. Afzonderlijke bloemen komen in diverse kleine schaaltjes – bijvoorbeeld voor drijfkaarsjes – duidelijk beter tot hun recht dan in een boeket. En als u daartussen wat van de bloembladeren legt, hebt u echt een perfecte bloemendecoratie.

EEN VLEUGJE VAKANTIE

Vast en zeker hebt u tijdens uw laatste strand-
vakantie ook schelpen gezocht. Bij het spontaan
decoreren zijn ze een uitkomst! Legt u ze op het
buffet tussen de borden, kopjes en schalen, dan
zorgt dat meteen al voor een vleugje vakantie.
En het wordt helemaal perfect als u er ook wat
zand tussen strooit – hiervoor is schoon speel-
zand het meest geschikt.

ROMANTISCH KAARSLICHT

Hoe sfeervoller het licht, hoe geslaagder de
omgeving voor het feest is. Kaarsen zorgen
voor bijzonder romantische lichtaccenten.
Steek er zo veel mogelijk aan en verdeel ze
over het hele vertrek. En het is echt niet zo dat
u tientallen kaarsenhouders moet hebben:
waxinelichtjes die op een plat bord of in kleine
glazen worden gezet, hebben hetzelfde effect.
En als u rond de glazen dan nog stukken stof –
zijde of bijvoorbeeld een mooie sjaal – dra-
peert, geeft dat net dat beetje extra.

Toastjes, dipsauzen & zo

TEGEN DE EERSTE TREK

Zoute biscuit, nootjes of chips, toastjes en soepstengels: deze en andere lekkernijen zijn altijd de simpelste manier om uw gasten bij hun drankje wat te knabbelen aan te bieden. Hebben de gasten echter – als ze bijvoorbeeld van hun werk komen – echt honger, dan zijn zoute stengels en chips niet voldoende. Maar u kunt ze natuurlijk wel gebruiken als basis voor allerlei snacks, waarmee in elk geval de eerste trek kan worden gestild.

TOASTJES & KAAS

Het komt er helemaal op aan wat u bij de chips en dergelijke serveert. Zijn dat bijvoorbeeld twee, drie soorten kaas, wat dipsauzen of spreads en nog wat verse rauwkost om te dippen, dan is er voor elk wat wils. Van een simpel toastje of plakje stokbrood maakt u met een stukje roquefort en een partje peer, of

met wat verse kruidenkaas en een knapperig radijsje, een heerlijke canapé.

ROOMKAASDIP: meng 250 g ricotta met 2 eetlepels slagroom. Voeg wat zout en vers gemalen peper toe en roer er fijngehakt, vers basilicum door. U hebt nu een heerlijke spread, die voortreffelijk smaakt bij ciabatta, soepstengels en tomaten.

MEDITERRANE MAYONAISESOORTEN

Of het nu in de vorm van Spaanse aïoli is, als Italiaanse salsa tonnata met tonijn of gewoon scherp en op smaak gebracht met stukjes verse Spaanse peper: mayonaise kan als basis dienen voor de meest uiteenlopende (dip)sauzen. Je kunt kant-en-klare mayonaise gebruiken, maar ook slasaus of halvanaise, voor een versie met minder vet. Zelfgemaakte mayonaise smaakt – zeker als een goede oliesoort wordt gebruikt – natuurlijk bijzonder goed.

BASISRECEPT: meng 2 eierdooiers met zout, peper en 1 theelepel mosterd. Klop dit schuimig met de mixer en voeg dan druppelsgewijs ⅛ l olie toe. Blijf zo lang olie toevoegen tot de gewenste dikte is bereikt. Bij grote eieren kan het nodig zijn om meer dan ⅛ l olie te gebruiken.

Variaties: meng voor een pittige knoflookdipsaus
200 g mayonaise met 100 g crème fraîche. Breng op smaak
met zout, peper en een snufje suiker en voeg 2 gesnipperde teentjes knoflook en ½ gesnipperde Spaanse peper toe.
Meng voor een salsa tonnata de mayonaise met uitgelekte tonijn op olie. Verse rauwkoststicks smaken hier heerlijk bij. Denk daarbij aan stukjes komkommer, selderij of
koolrabi.

Fruitig fris en vers

Wilt u iets aanbieden dat fris en vers is,
geef uw gasten dan kleine rauwkost- of
groentesticks om te dippen, of maak van
de groente zelf een saus. Zo kunt u bijvoorbeeld verse tomaten met wat
gesnipperde ui, een theelepel tomatenpuree, zout, peper en verse kruiden tot
een dipsaus verwerken. En een variatie
hiervan met Spaanse peper past perfect
bij nachochips. Hierbij kunt u overigens
ook guacamole serveren.

Guacamole: schil 1 rijpe avocado
en prak deze fijn met limoensap. Snijd
een grote, ontvelde tomaat in kleine
blokjes en meng deze met wat
gesnipperde ui, zout en fijngehakte
groene Spaanse peper door de avoca-
domoes. Breng desgewenst op smaak
met verse koriander.

Bonte bonensalade

Als de gasten helpen bij het fijnsnijden van de paprika's, dan is deze bonte salade in een handomdraai klaar. En houdt u niet van tonijn, dan laat u die gewoon achterwege.

INGREDIËNTEN: 3 blikken kidneybonen • 1 groot blik maïs • 4 blikjes tonijn op olie • 2 rode, 2 gele en 2 groene paprika's • 1 bosje bosui • 2 teentjes knoflook • 4 el kruidenazijn • 4 el olijfolie • zout • peper

■ Doe de kidneybonen in een zeef, spoel ze af en laat uitlekken.

■ Laat de maïs en tonijn eveneens in een zeef uitlekken en snijd de tonijn in stukjes.

■ Halveer de paprika's, verwijder zaad en zaadlijsten en snijd het vruchtvlees in dunne reepjes.

■ Maak de bosuitjes schoon, halveer ze en snijd in dunne reepjes; schil de knoflook en pers uit.

■ Doe alle ingrediënten in een grote kom, schenk azijn en olie erover, meng goed en breng op smaak met zout en peper.

Tomatensoep met gin

Tomaten uit blik zijn altijd bijzonder aromatisch en ze zijn uitermate geschikt voor het maken van soep. Het tijdrovende schoonmaken van verse tomaten komt daarmee te vervallen.

INGREDIËNTEN: 1 bosje soepgroente • 4 grote blikken tomaten • 2 el olijfolie • 4 cl gin • 1 l groentebouillon (van 2 el bouillonkorrels) • 2 el suiker • zout • peper • 1 bosje bieslook • 1 bekertje slagroom

■■■ Was de soepgroente, maak schoon en snijd zeer fijn. Neem de tomaten uit het vocht en snijd ze in kleine stukjes.

■■■ Verhit de olijfolie in een grote pan en stoof daarin de soepgroente. Blus met gin.

■■■ Voeg de stukjes tomaat toe en breng aan de kook. Schenk de bouillon erbij en pureer de soep licht. Breng op smaak met suiker, zout en peper en desgewenst nog wat gin.

■■■ Was het bieslook, dep droog, knip in rolletjes en doe deze in een schaaltje. Klop de slagroom stijf, doe deze in een schaaltje en serveer samen met de rolletjes bieslook bij de soep.

Kruidenkwarkpasteitjes

Kleine bladerdeegpasteitjes van plakjes diepvriesbladerdeeg kunt u in ongeveer een halfuur zelf bakken. Ze zijn echter ook kant-en-klaar verkrijgbaar in goed gesorteerde supermarkten. Als u ze dan vult met gekruide kwark of roomkaas zijn ze in een paar minuten klaar om te serveren.

Bakt u de pasteitjes zelf, dan kunt u een snelle kruidenkwark maken als ze in de oven staan. Snijd na het bakken een kapje van de pasteitjes. Leg deze kapjes na het vullen als garnering weer op de pasteitjes.

PASTEITJES: (voor 21 stuks) ontdooi 9 plakjes bladerdeeg. Leg telkens 3 plakjes op elkaar, waarbij u de onderste plakjes eerst met boter bestrijkt voordat u het volgende erop legt. Steek met een uitsteekvorm of een borrelglas uit elk stapeltje 7 rondjes. Leg deze op een bakplaat. Klop 1 eierdooier los met 1 eetlepel melk, bestrijk de rondjes daarmee en bak ze op 220 °C in ongeveer 10 minuten goudbruin.

KRUIDENKWARK: meng 250 g roomkwark (40%) met 3 eetlepels crème fraîche. Roer er vers gehakte kruiden of een zakje diepvrieskruiden door. Breng op smaak met een scheutje citroen, zout en peper.

Capresespiesjes in een glas

Deze snel te maken spiesjes met cherrytomaatjes en mozzarellabolletjes ogen uiterst aantrekkelijk als ze apart in kleine glazen worden geserveerd. U kunt hiervoor eenvoudige waxinelichthouders tijdelijk een geweldige nieuwe bestemming geven. Maar ook kleine drinkglazen zijn hiervoor uitstekend geschikt.

In plaats van basilicum kunt u ook een paar blaadjes rucola fijnhakken en aan de marinade toevoegen.

INGREDIËNTEN: (voor 12 spiesjes) • 12 cherrytomaatjes • 12 bocconcini (kleine mozzarellabolletjes) • wat takjes basilicum • 5 el olijfolie • zout • zwarte peper • 12 kleine spiesjes

Was de tomaatjes en dep ze droog met keukenpapier. Neem de bocconcini uit het vocht en laat ze uitlekken.

Rijg telkens 1 tomaat en 1 bolletje mozzarella aan een klein spiesje en zet dit in een klein glas.

Was het basilicum, dep droog en snijd in dunne reepjes. Meng olijfolie met zout en peper, voeg basilicum toe en verdeel dit met een theelepeltje over de glazen.

Gegratineerde courgette

De groente wordt hier in de oven gegratineerd en krijgt door de schapenkaas iets mediterraans. U kunt de gedroogde kruiden natuurlijk ook vervangen door verse kruiden. Afhankelijk van de samenstelling van het kruidenmengsel kunt u het gerecht een ander accent geven, bijvoorbeeld 'Grieks' of 'Italiaans'. Uiteraard kunt u ook een kant-en-klare mix van gedroogde kruiden gebruiken.

INGREDIËNTEN: 4 middelgrote courgettes • 500 g trostomaten • 600 g schapenkaas • zout • peper • 12 el olijfolie • gedroogde voorjaarskruiden (dille, basilicum, kervel en dergelijke)

▬ Was de courgettes en snijd ze in niet te kleine blokjes. Was de tomaten en snijd ze in kleine stukjes. Verwijder daarbij het kroontje.

▬ Snijd de schapenkaas in blokjes.

▬ Doe groenten en kaas in een grote ovenschaal, bestrooi met zout en peper, schenk de olijfolie erover en bestrooi royaal met voorjaarskruiden.

▬ Gratineer het gerecht in het midden van de oven ongeveer 15 tot 20 minuten op 200 °C.

Gegratineerd stokbrood

Gegratineerd stokbrood is snel klaar en smaakt door de combinatie met kaas en vruchten bijzonder goed. U kunt deze hapjes op heel veel verschillende manieren variëren en bijvoorbeeld uw favoriete kaassoort gebruiken.

INGREDIËNTEN: (voor 12 stuks) 3 grote peren • 3 middelgrote stokbroden • 125 g boter • 12 plakjes mild gerookte ham • 12 plakjes kaas • 1 potje cranberry's

■ Verwarm de oven voor op 180°C.

■ Schil de peren, verwijder het klokhuis en snijd het vruchtvlees in dunne partjes.

■ Halveer de stokbroden, snijd ze vervolgens horizontaal door, zodat elk stokbrood in 4 stukken wordt verdeeld.

■ Bestrijk het brood met boter en beleg het vervolgens met ham, partjes peer en plakjes kaas.

■ Gratineer het brood ongeveer 8-10 minuten in een oven van 180°C, verdeel vervolgens de cranberry's erover en serveer warm.

Snel aardbeienijs

Voor dit snelle ijs kunt u ook allerlei soorten bessen gebruiken. Met karnemelk smaakt het ijs zomers en verfrissend. Vervangt u de karnemelk door slagroom (450 ml) en melk (150 ml), dan wordt het ijs heerlijk fijn en romig.

Om het ijs goed te laten slagen, hebt u een staafmixer of een keukenmachine nodig. Het is het beste om het ijs in twee of drie porties, na elkaar, te maken.

INGREDIËNTEN: 1,2 kg diepvriesaardbeien • 6 el poedersuiker • 600 ml karnemelk

■ Koel van te voren een hoge kom.

■ Doe het bevroren fruit in de kom en houd wat vruchten apart voor de garnering. Zeef de poedersuiker over het fruit in de kom en voeg de karnemelk toe.

■ Maak er met de staafmixer een romig mengsel van.

■ Schep het ijs in voorgekoelde glazen of schaaltjes en serveer meteen.

Grote feesten

Megaparty's

DE BESTE TIPS: GROTE FEESTEN

U hebt er vast wel een keer van gedroomd om eens flink
uit te pakken en met al uw vrienden en kennissen de bloemetjes buiten te zetten. Een dergelijk megafeest – met een
enorm aantal gasten – hoeft geen droom te blijven. Het
enige wat u nodig hebt: een optimale planning, een goede voorbereiding en klein beetje organisatietalent – dat wil
zeggen: veel mensen die u helpen.

EEN DUIDELIJK BUDGET

Bij een feest met veel gasten moet natuurlijk duidelijk zijn
wat het gaat kosten. Ook aan bier en wijn hangt een prijs-
kaartje. Als u de aanbiedingen met elkaar vergelijkt en bij
de slijterij informeert, kunt u grote hoeveelheden van
goede kwaliteit kopen.

EEN 'AMERIKAANS' FEEST ORGANISEREN

Ook als er veel gasten komen, kunt u aantrekkelijke
gerechten serveren. Vanaf 24 personen wordt het echter

bijna ondoenbaar om zelf allerlei hapjes of gerechtjes te maken. Als u het uzelf makkelijk wilt maken en toch een royaal buffet wilt aanbieden, dan schakelt u gewoon uw gasten in. Want die speciale, favoriete salade van een vriendin of die heerlijke specialiteit van een kennis mag op geen enkel feest ontbreken. Het is belangrijk om vooraf af te spreken wat iedereen meeneemt, om een zo groot mogelijke variatie te kunnen aanbieden. Het is het beste om van tevoren een nauwkeurige lijst te maken. Alleen dan voorkomt u dat er bijvoorbeeld veel salades zijn, maar geen enkel nagerecht.

HAND- EN SPANDIENSTEN

Als u veel gasten uitnodigt, moet u het
bedienen zo simpel mogelijk houden, zodat
u zelf ook nog wat aan de avond hebt. Het
is daarom belangrijk om al voor het feest de
nodige hulp te regelen voor bijvoorbeeld
het bijvullen van de glazen, het legen van
de asbakken of het weghalen van gebruikte
borden, bestek en glazen.

WEGWERPBORDJES IN OVERVLOED

Met veel gasten is wegwerpservies beslist
een praktisch alternatief voor porselein, dat
moet worden afgewassen. Iemand die honger heeft, eet ook heerlijk van een plastic
bord. Behalve plastic borden zijn ook weg-
werpglazen en -bestek verkrijgbaar. En de
borden zijn er in allerlei uitvoeringen, ook
met vakjes.

GROTE GARDEROBE

Ook al hoeft u op een groot feest geen chique garderobe voor de gasten te hebben, het
is wel belangrijk dat de jassen een goed
onderkomen krijgen. Zeker als er wordt
gedanst, willen de gasten af van hun te war-

me kledingstukken. Zorg voor voldoende ruimte voor dergelijke kleding, denk aan kapstokken, tafels of desnoods het bed in de slaapkamer.

Een staand feest creëert ruimte

Als u veel gasten moet huisvesten, is het vaak schipperen met de ruimte. Statafels zijn dan een uitkomst. Bij veel slijterijen is meubilair te huur waar iedereen heerlijk tegenaan kan hangen. Maar: u kunt het nooit helemaal zonder zitplaatsen stellen, want op een gegeven moment wil iedereen toch wel graag heel even zitten. Het is daarom het beste om klapstoelen te nemen, die worden neergezet zodra daar behoefte aan is.

Het juiste licht

Met grote zorgvuldigheid uitgevoerde details vallen op grote feesten al snel in het niet – besteed dus niet al te veel tijd aan een prachtige versiering. Wel is het belangrijk om sfeervol licht te hebben en ook het buffet moet er mooi uitzien. Wordt er gedanst, dan zullen gekleurde lampen en natuurlijk ook discolicht zeker bijdragen aan de feeststemming.

OPRUIMFEEST

Aan alles komt een eind… en om te voorkomen dat het feest voor u in mineur eindigt, kunt u een 'katerontbijt' organiseren. Met in uw achterhoofd het gezegde 's avonds een vent, 's ochtends een vent' nodigt u vrijwilligers uit om met elkaar op te ruimen en schoon te maken. Niet alleen blijft de gastheer of gastvrouw dan niet zitten met een berg flessen, volle asbakken en vies serviesgoed, met elkaar kunnen tijdens het opruimfeest ook de hoogtepunten van de vorige avond opnieuw worden beleefd. En alle restjes kunnen natuurlijk worden opgemaakt!

Prei-crèmesoep

Deze preisoep kunt u prima van tevoren maken; de champignons moeten echter pas vlak voor het serveren worden gebraden en toegevoegd.

INGREDIËNTEN:
6 el zonnebloemolie • 750 g gemengd gehakt • 3 uien • 4 stengels prei • ½ l droge witte wijn • 4 el bouillonkorrels • 200 g roomsmeerkaas • 300 g kruidensmeerkaas • 400 g champignons • paprikapoeder, mild

■ Verhit de olie in een pan met antiaanbaklaag en bak het gehakt daarin rul. Schil 2 uien, snipper ze en braad mee. Doe alles in een grote pan.

■ Maak de stengels prei schoon, was ze, snijd in dunne ringen, voeg toe aan het gehaktmengsel en smoor alles op een middelhoog vuur. Schenk er de witte wijn en 2 l heet water bij, roer de bouillonkorrels erdoor en breng aan de kook. Roer de kaas geleidelijk door de niet meer kokende soep en laat die daarin volledig smelten.

■ Maak de champignons schoon en snijd ze in plakjes. Snipper de resterende ui en braad deze met de plakjes champignon aan in wat olie. Voeg toe aan de soep en breng op smaak met paprikapoeder.

Chili con carne

INGREDIËNTEN: 2 uien • 500 g gehakt • 1 el olijfolie • 1 teentje knoflook • 1 groot blik tomaten • 1 grote
rode paprika • 1 Spaanse peper • 1,5 tl gemalen komijn
• 2 el tomatenpuree • oregano • 1 klein blik kidneybonen
• zout • gedroogde chilipeper (uit de molen)

▬ Schil de uien, snipper ze en braad met het gehakt in
de olijfolie aan. Voeg het uitgeperste teentje knoflook toe.

▬ Laat de tomaten uitlekken en vang het sap daarbij
op. Snijd de paprika in kleine blokjes. Hak de Spaanse
peper fijn en verwijder voor een minder scherpe smaak
eventueel vooraf de zaadjes.

▬ Strooi, zodra het gehakt bruin wordt, de komijn erover en voeg Spaanse peper en paprika toe; laat heel even
meeverwarmen en roer de tomatenpuree erdoor. Blus met
wat sap uit het blik tomaten (of met ongeveer 100 ml
water). Voeg oregano en kidneybonen toe en laat alles 15
minuten zachtjes koken. Schenk er desgewenst nog wat
vocht bij – de massa moet romig zijn.

▬ Breng het gerecht op smaak en voeg eventueel wat fijngemaakte gedroogde chilipeper toe voor een wat scherpere
smaak.

Orzosalade

Orzo en kritharaki zijn pastasoorten in de vorm van rijstkorrels. Er kunnen heerlijke gerechten van worden gemaakt.

INGREDIËNTEN: 400 g kalkoenfilet • 1 el citroenpeper • 2 el olijfolie • 500 g broccoli • 150 g sugar-snaps • 350 g orzo • 150 g gedroogde tomaten op olie

DRESSING: 1 biologische citroen • 50 ml wittewijnazijn • 100 ml olijfolie • zout • peper • 1 tl poedersuiker • ½ bosje peterselie • 2 takjes citroenmelisse • 3 sjalotjes

▬ Wrijf de kalkoenfilet in met citroenpeper en braad aan in de hete olijfolie.

▬ Breng 2 l water met wat zout aan de kook. Maak de broccoli schoon, verdeel in kleine roosjes en doe ze in het kokende water. Voeg na 1 minuut de sugarsnaps toe en blancheer 2 minuten. Neem de groenten met een schuimspaan uit de pan en doe ze in een schaal met ijswater.

▬ Voeg vervolgens de orzo toe aan het kokende water en kook de pasta volgens de aanwijzingen op de verpakking beetgaar. Giet af, spoel af onder koud water en laat afkoelen. Snijd het afgekoelde vlees in blokjes en

de tomaten in dunne reepjes. Was de kruiden en hak
fijn.

▬▬ Spoel voor de dressing de citroen af onder heet
water, dep droog en rasp de schil. Pers de citroen vervolgens uit, klop het sap los met azijn en olijfolie en voeg
zout, peper, citroenrasp, poedersuiker, fijngehakte kruiden en gesnipperde sjalotjes toe. Meng alle ingrediënten
voor de salade en schenk de dressing erover.

Couscoussalade

INGREDIËNTEN: 500 g couscous (instant) • 500 g tomaten • 2 komkommers • 2 gele paprika's • 1 bosje bosui • 2 flinke bosjes gladde peterselie • 1 bosje verse munt

DRESSING: 2 limoenen • ½ kopje olijfolie • 1 mespuntje komijn • zout • peper

▬ Doe de couscous in een kom, schenk er volgens de aanwijzingen op de verpakking heet water over, laat opzwellen en vervolgens afkoelen.

▬ Maak de groenten schoon. Verwijder het zaad uit de tomaten en snijd het vruchtvlees in blokjes. Snijd de komkommers eveneens in blokjes en de paprika's en bosui in fijne stukjes.

▬ Was peterselie en munt, dep droog en hak het blad fijn. Meng alle gesneden ingrediënten in een grote kom met de couscous.

▬ Pers de limoenen uit en roer olijfolie en komijn erdoor. Schenk dit over de salade en meng alles goed. Breng de salade op smaak met zout en peper en laat 30 minuten intrekken.

Linzen-kerriesalade

Ingrediënten: 500 g bruine linzen • 1 l water • 1 el zout • 1 el bouillonkorrels • 2 sjalotjes • 2 bosjes bieslook • 5 el balsamicoazijn • 1 tl suiker • 1 el kerriepoeder • zout • peper • 5 el olijfolie • 3 el zonnebloemolie

■ Laat de linzen een nacht lang weken in 1 l water met 1 eetlepel zout.

■ Voeg vervolgens 1 theelepel bouillonkorrels toe aan het water en kook de linzen in ongeveer 10 tot 15 minuten beetgaar. Giet het vocht af en doe de linzen in een kom.

■ Schil en snipper de sjalotjes. Was het bieslook en knip in kleine rolletjes.

■ Meng voor de vinaigrette balsamicoazijn, suiker, kerriepoeder, peper en wat zout. Voeg olijfolie en zonnebloemolie toe en klop alles goed door met de garde.

■ Meng de vinaigrette met de sjalotjes en het bieslook door de linzen en laat de salade minstens 30 minuten staan. Breng vervolgens desgewenst op smaak met nog wat balsamicoazijn.

Drumsticks

INGREDIËNTEN: 16 drumsticks • 1 limoen • 3 el vloeibare honing • 4 el sojasaus • 2 el sesamolie • 2 cm gemberwortel • 2 teentjes knoflook • ½ tl citroenpeper • tabasco • 4 el sesamzaad

■ Een dag van tevoren: doe de drumsticks in een platte schaal. Pers de limoen uit en meng het sap met honing, sojasaus en olie. Schil gember en knoflook, snipper beide en voeg samen met de citroenpeper en een scheutje tabasco toe aan de marinade. Roer goed door. Schenk de marinade over de drumsticks en wentel ze erdoor. Laat een nacht lang in de koelkast intrekken.

■ Verwarm voor het braden van de drumsticks de oven voor op 220 graden en vet het grillrooster in met olie. Neem de drumsticks uit de marinade en bestrooi ze met sesamzaad.

■ Leg ze op het grillrooster en schuif in de oven, met daaronder een braadslee. Braad het vlees ongeveer 40 minuten. Schakel desgewenst aan het einde van de braadtijd de grill bij, dan worden de drumsticks heerlijk krokant.

Goulashsoep à la Provence

INGREDIËNTEN: 600 g gerookt spek • 2 el olijfolie • 2,5 kg goulashvlees • 9 uien • zout • peper • bloem
• 2 ¼ l witte wijn • 2 ¼ l bouillon • 3 bosjes soepgroente •
9 kruidnagels • klein stukje prei of knolselderij • 9 teentjes knoflook • 12 middelgrote tomaten • 200 g zwarte olijven (ontpit) • 3 bosjes peterselie

▬ Snijd het spek in blokjes en braad het in een grote
pan in de olijfolie aan. Neem het spek uit de pan en houd
apart.

▬ Braad het goulashvlees aan in het spekvet. Schil de
uien, snijd in plakjes, voeg toe aan het vlees en stoof mee.
Breng goed op smaak met zout en peper en bestrooi met
bloem. Blus vervolgens met wijn en bouillon.

▬ Was de soepgroente en bind samen. Steek de kruidnagels in het stukje prei of selderij. Voeg soepgroente, kruidnagels en de geschilde teentjes knoflook toe aan het vlees.
Laat 2 uur smoren op een laag vuur. Verwijder vervolgens
soepgroente en kruidnagels.

▬ Schenk heet water over de tomaten, ontvel ze, snijd in
kwarten en voeg met de olijven en het spek toe aan het vlees.
Laat de soep nog een uur afgedekt op een laag vuur smoren.
Voeg voor het serveren de fijngehakte peterselie toe.

Romige frambozencrème

Dit toetje is eenvoudig te maken. Door het lichte citroenaroma is het heerlijk fris en uw gasten zullen het bijzonder op prijs stellen!

INGREDIËNTEN: 1.250 g diepvriesframbozen • 400 g zure room • 200 g crème fraîche • 3 citroenen • 1,5 zakje gelatinepoeder • 500 ml slagroom • 150 g suiker • 3 el poedersuiker

■ Laat de frambozen in een platte schaal ontdooien.

■ Klop zure room en crème fraîche goed los met een garde.

■ Pers de citroenen uit en roer het sap door het roommengsel. Meng de gelatinepoeder geleidelijk en al roerend door de room.

■ Klop de slagroom stijf met de suiker en spatel dit door de roommassa.

■ Pureer 1 kg van de frambozen met de poedersuiker, maar maak het niet te fijn. Breng in een glazen schaal afwisselend laagjes room en frambozen aan. Verdeel tot slot de niet gepureerde frambozen over de room. Zet minstens 2 uur in de koelkast.

Caipirinhabowl

INGREDIËNTEN: 15 limoenen • 1,5 l mineraalwater • 1 galiameloen • 250 g rietsuiker • 200 ml cachaça
(sterkedrank van suikerriet) • 2 flessen droge sekt (bijv.
riesling)

▬ Spoel de limoenen af onder heet water en dep droog
met keukenpapier. Pers 5 of 6 limoenen uit, zodat u ongeveer 100 ml sap krijgt. Rasp van 2 limoenen de schil.

▬ Meng het limoensap met 250 ml mineraalwater, voeg
de limoenrasp toe, verdeel dit over een ijsblokjeshouder en
zet in de vriezer.

▬ Halveer de meloen, verwijder de pitjes en steek er met
een meloensteker kleine bolletjes uit. Schenk de cachaça
over de meloenbolletjes en laat dit een paar uur intrekken.

▬ Houd 3 limoenen apart en snijd de rest van de vruchten in kwarten. Doe ze in een bowlkom, meng met de suiker en stamp fijn. Voeg de meloenbolletjes met het vocht
toe, roer door en zet in de koelkast.

▬ Snijd de 3 achtergehouden limoenen in schijfjes. Doe
de ijsblokjes bij het fruitmengsel, schenk hier eerst het

mineraalwater over en vervolgens de sekt. Voeg ter garnering de limoenschijfjes toe aan de kom.

TIP: na het toevoegen van het mineraalwater kunt u eerst
een deel van de fijngestampte, minder fraaie limoenstukjes
uit de kom verwijderen.

Zomerfeesten

Buiten plezier hebben

EEN FEEST ROND DE BARBECUE

Wat is er nu mooier dan op een zwoele zomeravond onder de fonkelende sterrenhemel op een zomerfeest omringd te zijn door vrienden? Een groot balkon, terras of gazon zijn de ideale plaatsen voor een feest, zeker als ook nog de mogelijk- heid bestaat om de barbecue aan te steken. Want een barbecue voegt juist in de zomer aan het feestelijke buffet bijzonder populaire en heer- lijke gerechten toe.

Daarbij zijn niet alleen vlees en vis geschikt om te grillen – ook rauwkost en groente kunt u bijvoor- beeld in de vorm van spiesjes op de barbecue leggen. Ook vegetariërs komen dan volledig aan hun trekken. Helemaal perfect is het zomerfeest als het buffet nog wordt aangevuld met heerlijke groenten, frisse salades en fruit, en met des- serts.

De beste tips: zomerfeest

Een datum afspreken, een paar koele drankjes regelen en de barbecue aansteken – meer is er niet nodig voor een zomerfeest. Om ervoor te zorgen dat het helemaal áf is, moet u nog wel op een paar kleinigheden letten.

Regen: geen probleem

Natuurlijk moet u er ook 's zomers rekening mee houden dat het slecht weer kan zijn. Daarom moet de gastheer of gastvrouw bepaalde voorzorgsmaatregelen nemen. Ideaal is het als er voldoende ruimte is voor partytenten of grote parasols – geleend van vrienden of gehuurd bij de slijterij. En wanneer dat niet mogelijk is, moet u uw huis zo klaarmaken dat u daar bij regen snel naar kunt uitwijken.

SFEERVOL LICHT

Ook tuinfeesten kunnen niet zonder sfeervolle verlichting. Dat bereikt u vooral met licht dat natuurlijk oogt: windlichten op de tafels en bij het buffet, lantaarns of lampions in bomen of aan de dakgoot, of bontgekleurde fakkels in de bloemperken of bloembakken. Wel moet in ieder geval het buffet altijd voldoende verlicht zijn.

GEEN RUZIE MET DE BUREN

Een tuinfeest is meestal geen echt rustige aangelegenheid en de uitgelaten stemming tot diep in de nacht kan voor de buren storend zijn. Omdat het bij dergelijke feesten in de regel niet uitmaakt of er twee of vier gasten meer of minder zijn, is het verstandig om de buren ook uit te nodigen. En zelfs als ze de uitnodiging niet aannemen: ze weten in elk geval dat er een feest wordt georganiseerd.

ZORG VOOR VOLDOENDE IJSBLOKJES

Op een zomerfeest zijn koele drankjes onmisbaar. Daarom is het belangrijk om de drankjes bijtijds te koelen. Op de bar

of op de buffettafel kunt u bijvoorbeeld een grote kom wijn of sekt neerzetten waaraan ijsblokjes zijn toegevoegd – dat ziet er nog heel aantrekkelijk uit ook. Er zijn ook bedrijven waar u ijsblokjes (en ook schaafijs) kunt bestellen, die dan worden thuisbezorgd. Als u op Google 'ijsblokjes' en uw plaatsnaam intikt, verschijnen er allerlei links naar dergelijke bedrijven.

KOELEN EN WARM HOUDEN

Als u het buffet in de buitenlucht serveert, moet u ervoor zorgen dat bederfelijke gerechten gekoeld zijn. U kunt schalen en borden bijvoorbeeld ook op een ovenplaat of dienblad zetten waarover fijngemaakte ijsblokjes zijn verdeeld. En andersom: zijn er warme schotels, dan moet u er ook in de tuin voor zorgen dat ze warm blijven.

DE TUIN VERSIEREN

Ook een tuin kan voor een feest vrolijk worden versierd. Eenvoudig en goedkoop: luchtballonnen en serpentines. En als u de gasten betrekt bij het versieren en hen bijvoorbeeld ballonnen laat opblazen of slingers laat ophangen, dan is de eerste feestpret al gegarandeerd.

Decoratieve champagnekoeler

Oude bakjes of teiltjes van email kunt u uitstekend gebruiken voor het koelen van wijn. Als u dan ter decoratie wat rozenblaadjes toevoegt en de wijn aan de rand van een bloemperk neerzet, trekt dat beslist de aandacht.

Caraïbische nachten

Een zomerfeest is bij uitstek geschikt om er een themafeest van te maken: met een heerlijk romige, ijsgekoelde piña colada kunt u de gasten al in de stemming brengen voor een tropische avond. En met wat koude visschotels, vers gegrilde zalm en bijvoorbeeld een dessert van ananas en mango ontstaat al snel een Caraïbische sfeer. Daarbij hoort natuurlijk muziek met bijpassende calypso-, reggae- of merengueklanken.

Warme drankjes

Soms koelt het 's avonds zo sterk af dat veel gasten een warm drankje zeker op prijs zullen stellen. Denk daarom bij de voorbereidingen in elk geval ook aan koffie.

Gevulde champignons

Op een zomerfeest zijn gebakken champignons met een frisse, mediterrane vulling van kruiden en kaas heerlijk. Ze smaken niet alleen als ze rechtstreeks uit de oven komen, maar ook koud.

INGREDIËNTEN: 8 middelgrote champignons • 125 g mozzarella • vers basilicum • 1 el slagroom • peper • zout

▬ Maak de champignons schoon, verwijder de steeltjes en snijd deze fijn.

▬ Snijd voor het bedekken van de champignons van de mozzarella 8 even grote plakjes en houd deze apart. Snijd de rest in kleine blokjes.

▬ Was het basilicum, dep droog en hak fijn.

▬ Meng de fijngesneden champignonsteeltjes, blokjes mozzarella, basilicum en slagroom en breng dit op smaak met zout en peper.

▬ Schep de massa in de champignons en dek af met de plakjes mozzarella. Bak ze ongeveer 10 tot 15 minuten in het midden van een op 200 °C voorverwarmde oven.

Komkommer-meloensalade

INGREDIËNTEN: 2 komkommers • 1 honingmeloen

DRESSING: ½ citroen • 300 g volle yoghurt • zout • cayennepeper • snufje suiker • 1 bosje dille

▬ Schil de komkommers, halveer ze in de lengte en verwijder het zaad met een theelepel. Snijd de komkommers vervolgens in blokjes.

▬ Snijd de meloen in parten, verwijder het zaad en snijd het vruchtvlees los van de schil. Snijd dit vervolgens in blokjes.

▬ Pers voor de dressing de citroen uit, meng het sap door de yoghurt, voeg royaal zout toe en breng op smaak met een mespuntje cayennepeper en suiker.

▬ Was de dille, hak fijn en meng door de yoghurt.

▬ Houd dressing en salade goed koel en meng de dressing pas kort voor het serveren door de salade.

Antipasti

Mediterrane voorgerechten als kruidig gemarineerde groente zijn niet alleen heel simpel om zelf te maken, u kunt ze ook heel goed van tevoren maken. De smaak komt namelijk pas optimaal tot zijn recht als de kruiden en het vocht langere tijd kunnen intrekken.

GEMARINEERDE COURGETTE: was 500 g courgette, snijd in plakjes en braad goudbruin in olijfolie. Laat uitlekken op keukenpapier. Hak 2 teentjes knoflook en 1 bosje basilicum fijn. Vul een schaal laag voor laag met courgette en kruiden. Breng ¼ l wittewijnazijn met zout en peper aan de kook en schenk dit meteen over de courgette. Laat het een nacht lang intrekken.

GEMARINEERDE AUBERGINE: snijd 500 g aubergine in plakjes, bestrooi met zout, laat 15 minuten staan en dep met keukenpapier. Bak de plakjes goudbruin in olijfolie. Neem de plakjes uit de pan en blus het braadvocht met 200 ml witte wijn. Roer er 1 eetlepel tomatenpuree door en laat iets inkoken. Breng op smaak met ½ theelepel zout, witte peper, ½ theelepel suiker, 2 mespuntjes gemalen koriander en een scheutje wittewijnazijn. Hak een royale hoeveelheid marjolein en oregano fijn en voeg toe aan het vocht. Leg de aubergine in laagjes in een schaal en schenk er telkens wat vocht over. Laat het een nacht lang intrekken.

Gefrituurde groente

U kunt de meest uiteenlopende groentesoorten in beslag bakken, zoals paddenstoelen, courgette, maar ook broccoli. Hebt u geen friteuse, dan kunt u ook een fonduepan gebruiken. Champignons en andere paddenstoelen worden, net als courgette en ui, rauw gefrituurd: haal ze eerst door een beslag, in dit geval bierbeslag. Bij gebakken paddenstoelen smaakt knoflookmayonaise heerlijk als dipsaus.

INGREDIËNTEN: 100 g bloem • zout • 150 ml licht bier • 2 eieren • 500 g gemengde groenten (zoals kleine champignons en uien) • vet voor het frituren

▬ Roer bloem, zout en bier tot een glad beslag.

▬ Splits de eieren, roer de dooiers door het beslag en laat dit even staan. Klop in de tussentijd de eiwitten stijf en spatel ze door het beslag.

▬ Maak de groenten schoon, verdeel grotere soorten in kleinere stukken; snijd ui in dikke ringen. Haal de groente door het beslag en bak goudbruin en knapperig in het hete vet.

Gegrild lamsribstuk

Lamsribstuk met een fijn lavendelaroma is op een zomer-feest iets heel bijzonders. Een wat groter stuk ribstuk met 4 tot 6 koteletjes kan uitstekend op de barbecue worden bereid en vervolgens worden aangesneden.

INGREDIËNTEN: (voor 6 grote porties) 6 stukken lamsribstuk met elk 4 tot 6 koteletjes • 2 el balsami-coazijn • 3 tl citroensap • 4 el olijfolie • 2 sjalotjes • 1 el lavendelbloempjes • zout • peper • wat takjes lavendel

Het vlees even afspoelen en droog deppen.

Meng azijn, citroensap, olie, de gesnipperde sjalotjes, lavendelbloempjes, zout en peper tot een marinade. Bestrijk het vlees met de marinade en laat dit minstens 30 minuten intrekken.

Grill het lamsribstuk eerst aan de kant met het bot. Draai het vlees verschillende keren om en laat het tot slot aan de rand van de barbecue gaar worden.

TIP: als u bij het gaar worden van het vlees nog wat takjes lavendel op de gloeiende kooltjes legt, verspreiden deze een aangename geur.

Gegrilde babyinktvis

'Kalamarákia' is de Griekse naam voor kleine inktvisjes. De grotere soort wordt 'ochtapódia' genoemd. Babyinktvis wordt meestal gepaneerd en gefrituurd gegeten, maar ook gegrild op de barbecue smaken ze heerlijk. Bij goed gesorteerde viswinkels zijn deze zeevruchten vers verkrijgbaar, maar ze zijn ook te vinden op de diepvriesafdeling van veel supermarkten. De inktvisjes mogen niet te heet worden gegrild, omdat ze anders taai kunnen worden.

INGREDIËNTEN: 500 g babyinktvis (eventueel uit de diepvries) • 1 citroen • grof zeezout

▬ Was de inktvisjes, dep droog en doe ze in een schaal.

▬ Pers de citroen uit en sprenkel het sap over de inktvis. Maal daarover wat zeezout. Later kunnen de gasten desgewenst zelf nog wat zout toevoegen.

▬ Braad de kalamarákia op de niet te hete barbecue of aan de rand van het grillrooster ongeveer 5 minuten en draai ze daarbij een paar keer om.

Empanada's met gehakt

INGREDIËNTEN: (voor ca. 20 stuks) deeg: 250 g bloem • 1 tl bakpoeder • ½ tl zout • 4 el olijfolie • 2 el droge sherry • 150 ml warm water
Vulling: 1 ui • 2 teentjes knoflook • 2 el olijfolie • 150 g champignons • 300 g gemengd gehakt • 50 g rozijnen • 3 el pijnboompitten • 1 ei • zout • peper • 2 mespuntjes komijn • 1 eierdooier • 2 el melk

▬ Meng bloem en bakpoeder en kneed dit met zout, olie, sherry en water tot een soepel deeg.

▬ Schil en snipper ui en knoflook en fruit in de olijfolie. Maak de champignons schoon, snijd ze zeer fijn, voeg toe aan de ui en sjalot en verwarm zo lang tot al het vocht is verdampt.

▬ Meng de massa met gehakt, rozijnen, pijnboompitten en het ei. Breng op smaak met zout, peper en komijn.

▬ Rol het deeg dun uit en steek hier 20 rondjes van ongeveer 10 cm diameter uit. Schep in het midden van de rondjes een lepel van de vulling, vouw het deeg tot een halvemaan en druk de randen aan met een vork.

■ Leg de empanada's op een met bakpapier beklede bakplaat. Klop eierdooier en melk los en bestrijk de deegflapjes hiermee.

■ Bak ze in een op 200 °C voorverwarmde oven in ongeveer 25 minuten goudbruin.

Koude meloensoep

Ingrediënten: 2 kg watermeloen • 400 g frambozen (diepvries) • 200 ml rode port • 4 blaadjes rode gelatine • 2 biologische limoenen • 2 el fijngesneden gekonfijte gember • 1 honingmeloen

▬ Snijd de watermeloen in parten, schil ze en verwijder de pitjes; vang het sap daarbij op. Snijd de meloen in blokjes en pureer met de frambozen. Voeg de port toe.

▬ Week de gelatine 10 minuten in koud water.

▬ Spoel de limoenen af onder heet water, dep droog en rasp de groene schil met een citroentrekker. Pers de vruchten vervolgens uit. Verhit de rasp in het limoensap en laat 5 minuten trekken. Laat vervolgens iets afkoelen en los de uitgeknepen gelatine op in het sap. Klop met een garde door de meloenmassa. Voeg de fijngesneden gember toe en zet de soep in de koelkast.

▬ Steek met een meloensteker bolletjes uit de honingmeloen, of snijd het vruchtvlees in mooie, gelijkmatige blokjes. Voeg de bolletjes of blokjes toe aan de goed gekoelde meloensoep.

Aardappeltortilla

INGREDIËNTEN: 600 g aardappels • 1 ui • 1 teentje knoflook • 3 el olijfolie • 6 eieren • zout • peper

▬   Schil de aardappels, was ze en snijd in dunne plakjes. Leg deze op keukenpapier en dep droog.

▬   Schil en snipper de ui. Schil het teentje knoflook en halveer in de lengte.

▬   Wrijf een braadpan in met de knoflook en verhit hierin de olijfolie. Braad de plakjes aardappel en de ui ongeveer 8 minuten op een middelhoog vuur; draai de plakjes daarbij halverwege om.

▬   Klop de eieren goed los met zout en peper. Verdeel de plakjes aardappel gelijkmatig over de pan en schenk hierover het ei. Doe het deksel op de pan en verwarm de tortilla ongeveer 15 minuten, totdat de plakjes aardappel zacht zijn en het ei gestold is.

▬   Laat de tortilla op een groot bord glijden en laat afkoelen. Snijd hem vervolgens in kleine blokjes van zo'n 2 tot 3 cm.

Citroensorbet

Een lichte sorbet is op warme zomerdagen op elk feest een verfrissende verrassing. Het maakt niet uit welke fruitsoort wordt gebruikt, de bereiding is altijd dezelfde: eerst wordt een vruchtensiroop gemaakt. Deze moet dan goed worden gekoeld – het liefst een nacht lang – om vervolgens tot een sorbet te worden ingevroren. Hier wordt een klassieker, de citroensorbet, gegarneerd met abrikozenpuree.

INGREDIËNTEN: 12-14 citroenen • 300 g suiker • 1 l prosecco • 500 g abrikozen • 2 el poedersuiker

▬ Pers van de citroenen 600 ml sap. Verhit dit in een pan en laat inkoken tot een siroopachtige massa. Laat afkoelen en zet de siroop vervolgens een paar uur in de koelkast om hem goed te laten afkoelen. Meng de siroop met de prosecco en zet het mengsel – bij voorkeur in een metalen kom – in de vriezer. Laat 4 tot 5 uur opstijven en roer ongeveer één keer per halfuur goed door met een garde.

▬ Schenk voor de vruchtenpuree kokend water over de abrikozen en verwijder het vel en vervolgens de pitten. Pureer het vruchtvlees met een scheutje citroensap en de poedersuiker. Schep de sorbet in glazen en garneer met wat vruchtenmoes.

Winterfeesten

Vrolijkheid binnenshuis

FEESTEN IN HET KOUDE SEIZOEN

Het is natuurlijk heerlijk om op zwoele avonden buiten een feest te organiseren, maar helaas is dat alleen 's zomers mogelijk. Toch zijn er ook in de herfst en in de winter volop mogelijkheden voor een geslaagd feest. Als het buiten stormt en sneeuwt, hebben feesten die binnenshuis worden gegeven zo hun eigen charme.

Een dergelijk feest is meestal veel knusser, je bevindt je dichter bij elkaar. De keuken met het buffet wordt vaak een plaats voor leuke contacten en enthousiaste gesprekken. En wat dat buffet betreft: er zijn in dit seizoen fruit en groentesoorten verkrijgbaar die in de zomer niet te koop zijn, waardoor er allerlei andere recepten kunnen worden gekozen. Want wie houdt er op een koude winterdag niet van karakteristieke en heerlijke drankjes als glühwein en punch? Kortom: op een feest ben je van veel dingen afhankelijk, maar niet van het weer!

DE BESTE TIPS: WINTERFEEST

HAAL DE SCHITTERENDE HERFSTKLEUREN NAAR BINNEN

Vooral de herfst is door de vele oogsten en de warm gekleurde bladeren geschikt voor een sfeervol feest binnenshuis. Takken van rozenbottels, hulst en allerlei notenbomen zijn in de herfst prachtig. U komt ze tijdens een herfstwandeling vaak zo in de vrije natuur tegen. Als ze in vazen worden gezet, zijn ze op elk feest een blikvanger. Grote windlichten met kaarsen geven het vertrek een feestelijke en warme sfeer.

Het maakt eigenlijk niet uit wat voor soort kaarsen u gebruikt, al is het een bont allegaartje: dicht bij elkaar gezet zorgen ze altijd voor extra gezelligheid.

WARME KLANKEN TEGEN DE KOU BUITEN

Tegen de kou buiten is warme muziek precies het juiste middel. Winterfeesten zijn dus hét moment om je op de dansvloer eens flink uit te leven. Het is wel beter om vooraf de buren te informeren, zeker als het feest in een flatgebouw wordt gegeven, anders komen er gegarandeerd klachten over de te harde muziek.

GROENTE VAN HET SEIZOEN

Ook de keuze van de gerechten moet het seizoen weerspiegelen. Gasten vinden de herfst- en winterklassiekers heerlijk, omdat die in ons tegenwoordige hectische leven op de achtergrond dreigen te raken. Een rondgang over de weekmarkt zal heel wat ideeën voor feestrecepten opleveren. Van vers geoogste cantharellen kan een paddenstoelensoep

worden gemaakt, van aardappels een knapperige gratin en ook appel en prei zijn een heerlijke combinatie. U hebt dan in een mum van tijd een culinair thema voor uw feestavond.

WINTERDRANKJES

Bij stevige kost horen krachtige drankjes. Een robuuste rode wijn of een wat zwaardere biersoort geven vooral bij lagere buitentemperaturen de nodige innerlijke warmte. Bijzondere biersoorten van minder bekende brouwerijen zijn soms ook verkrijgbaar in originele flesjes. Niet te overtreffen zijn natuurlijk glühwein en punch, dus de klassieke winterdrankjes. U kunt ook heerlijke drankjes zonder alcohol maken, dat blijkt wel uit de theepunch van bosbessen op bladzijde 150.

EEN FEEST BUITEN

Waarom zou u de winter niet eens trotseren met een gezellig feest in de buitenlucht? Wat op de kerstmarkt of tijdens de après-ski kan, is ook thuis in de tuin of op het terras heel eenvoudig mogelijk. U steekt gewoon de barbecue aan – ook 's winters is er bij de slager volop vlees verkrijgbaar dat u op die manier kunt roosteren – en verwarmt op het fornuis een grote pan met glühwein of punch, waarna het feest kan beginnen! Met brandende fakkels, lampions, lantaarns en windlichten wordt het echt gezellig. Wel is het belangrijk dat u uw gasten laat weten dat het feest buiten plaatsvindt, zodat ze zich hierop kunnen kleden.

Themafeest

In herfst en winter staan er allerlei traditionele feesten op de agenda. Halloween, Sinterklaas en carnaval zijn bijvoorbeeld geweldige aanleidingen om een traditioneel en grappig themafeest te organiseren (zie ook bladzijde 176).

Veel van dergelijke feesten zijn nauw verbonden met bepaalde gerechten of specialiteiten, zoals Halloween met de pompoen en Sinterklaas met allerlei zoetigheid. Dergelijke tradities leveren prima ideeën voor het buffet op. En soms kunt u er zelfs een traditioneel drankje bij serveren, zoals bisschopswijn met Sinterklaas.

Spekcroissants

Ingrediënten: (voor 16 croissants) 2 kleine uien • 150 g doorregen spek • 20 g boter • 2 teentjes knoflook • ½ bosje peterselie • zout • peper • paprikapoeder • 2 porties pizzadeeg (diepvries, rond) • 1 ei • 1 el melk • ½ kopje sesamzaad

▬ Schil en snipper de uien. Snijd het spek in kleine stukjes en braad deze uit in een hete pan. Voeg boter en ui toe en bak glazig.

▬ Schil de knoflook en pers uit. Was de peterselie en hak fijn. Voeg de knoflook en peterselie toe aan de pan en verwarm mee. Breng op smaak met zout, peper en paprikapoeder.

▬ Laat het deeg ontdooien en verdeel de plakken elk in acht taartpunten. Splits het ei en bestrijk de deegranden met eiwit. Schep in het midden telkens wat van het spekuimengsel en strijk dit iets uit.

▬ Rol het deeg vanaf de brede kant op en zorg er daarbij zo veel mogelijk voor dat er geen vulling meer zichtbaar is. Leg het gevulde deeg op een met bakpapier beklede bakplaat en buig het tot een halvemaanvorm.

Klop eierdooier en melk los en bestrijk het deeg daarmee. Bestrooi met sesamzaad. Bak de croissants in een op
250 °C voorverwarmde oven in 15 tot 20 minuten goudbruin. Serveer warm of lauwwarm.

Paprika-roomsoep

U kunt deze soep prima van tevoren maken – warm hem dan voor het serveren op en verfijn de smaak door de crème fraîche en vers geknipte rolletjes bieslook toe te voegen.

INGREDIËNTEN: 500 g ui • 1,5 kg rode paprika • 150 g doorregen spek • 3 el olie • 1 tube paprikapuree (verkrijgbaar in Turkse winkels) • 2 el paprikapoeder, mild • 3 l runderbouillon • zout • cayennepeper • 2 tl suiker • 1 el citroensap • 2 blikjes maïs (uitlekgewicht ca. 285 g) • 400 g crème fraîche • 2 bosjes bieslook

▬   Schil en snipper de uien. Maak de paprika's schoon en snijd in stukjes. Snijd het spek eveneens in stukjes.

▬   Braad het spek in een hoge pan in de olie aan, voeg de ui toe en bak glazig. Voeg vervolgens de stukjes paprika toe en verwarm mee. Roer dan paprikapuree en paprikapoeder erdoor, schenk de warme bouillon erbij en laat alles met het deksel op de pan een halfuur zachtjes koken.

▬   Pureer de soep en breng op smaak met zout, peper, suiker en citroensap. Voeg de uitgelekte maïs toe. Roer vlak voor het serveren de crème fraîche erdoor; knip het bieslook in kleine rolletjes en strooi over de soep.

Rauwkost van rode bieten

Het is verstandig om bij het schillen van de rode bieten huishoudhandschoenen te dragen, omdat ze heel erg afgeven.

INGREDIËNTEN: 600 g verse rode bieten • 2 friszure appels • 3 wortels • 50 g walnoten • 2 bosjes bieslook

DRESSING: 3 el rode balsamicoazijn • zout • peper • 3 el zonnebloemolie • 2 el walnotenolie

▬ Schil rode bieten en appels, schrap de wortels en rasp alles fijn.

▬ Meng voor de dressing azijn, zout en peper, voeg de olie toe en klop goed door met een garde.

▬ Was het bieslook en knip in fijne rolletjes. Hak de noten fijn en voeg ze samen met het bieslook toe aan de rauwkost.

▬ Schenk de dressing over de rauwkost en laat alles minstens 30 minuten staan. Breng vervolgens opnieuw op smaak met zout en desgewenst met nog wat azijn.

TIP: u kunt de walnotenolie ook vervangen door druivenpitolie. Daarbij passen dan zonnebloempitten in plaats van walnoten.

Gehaktbrood

INGREDIËNTEN:

75 g bacon • 2 uien • 200 g wortels • 200 g wortelpeterselie • 4 takjes tijm (of 3 tl gedroogde tijm) • 40 g boter • 1 bosje peterselie • 1,5 broodje van een dag oud • 2 eieren • 4 el mosterd • 1 kg gemengd gehakt • 1 tl zout • peper • boter voor het invetten

▬ Snijd de bacon in stukjes. Maak uien, wortels en wortelpeterselie schoon en snijd in zeer kleine blokjes. Was de tijm en haal de blaadjes van de steeltjes.

▬ Smelt de boter in een braadpan en bak de ui daarin glazig. Voeg de blokjes wortel en wortelpeterselie en de tijm toe. Verwarm dit 1 minuut mee.

▬ Was de peterselie en hak fijn.

▬ Snijd het brood in kleine blokjes en meng deze in een grote kom met de eieren en mosterd. Voeg gehakt, bacon, blokjes groente, peterselie, zout en peper toe en meng alles goed.

▬ Vet een cakevorm in en schep de gehaktmassa hierin. Bak op 200 °C ongeveer 40 minuten in de oven. Laat vervolgens 5 minuten staan en stort het gehaktbrood dan uit de vorm.

Aardappelgratin

De kaas is hier de finishing touch: de Zwitserse gruyère, een rauwmelkse kaas, staat bekend om zijn karakteristieke fruitig-sterke smaak. Hij geeft de gratin iets heerlijk kruidigs.

INGREDIËNTEN: 1 kg aardappels • zout • peper • nootmuskaat • 100 g gruyère • ⅛ l melk • 2 eieren • boter voor het invetten

■   Schil de aardappels en snijd ze in dunne plakjes. Vet een taartvorm in met boter.

■   Leg de plakjes aardappel dakpansgewijs in de vorm. Breng op smaak met zout, peper en vers geraspte nootmuskaat.

■   Rasp de kaas en strooi dit over de aardappels.

■   Klop melk en eieren goed los en schenk dit mengsel gelijkmatig over de aardappels.

■   Bak de gratin eerst 30 minuten in het midden van een op 200 °C (hetelucht) voorverwarmde oven. Dek het gerecht dan volledig af met aluminiumfolie en bak het nog eens 15 minuten.

Aardappel-groenteballetjes

Ingrediënten: 500 g zeer kruimige aardappels
• 300 ml melk • 25 g boter • 4 bosuitjes • 75 g Goudse kaas
• 50 g gerookte ham • 3 eieren • 50 g bloem • 50 g diepvrieserwten • zout • peper • 125 g paneermeel • frituurvet

■ Schil de aardappels, snijd in blokjes en breng met de
melk in een pan aan de kook. Kook de aardappelblokjes vervolgens op een laag vuur gaar. Voeg de boter toe en stamp tot
puree.

■ Maak de bosuitjes schoon en hak fijn. Snijd kaas en
ham in kleine blokjes.

■ Meng 1 ei en de bloem door de aardappelpuree en
voeg dan ham, kaas, bosui en erwten toe. Breng op smaak
met zout en peper.

■ Klop de resterende 2 eieren los in een kom. Doe het
paneermeel in een andere kom. Maak van de aardappelpuree kleine balletjes, haal ze door het ei en wentel ze vervolgens door het paneermeel.

■ Verhit het frituurvet op 180 °C en bak de aardappel-
balletjes 5 minuten. Laat ze vervolgens uitlekken op keukenpapier.

Prei-appelschotel

Prei is een echte wintergroente. De smaak past verrassend goed bij die van appel, en dan vooral de wat zuurdere soorten, zoals elstar en cox.

INGREDIËNTEN: 1 kg prei • 1 kg friszure appels (zoals cox) • 3 el boter • zout • peper • 1 mespuntje komijn • ⅛ l kippenbouillon (instant) • 3 el pompoenpitten

▬ Maak de preien schoon en snijd ze in de lengte in, zodat het blad ook aan de binnenkant onder stromend water kan worden afgespoeld. Snijd ze vervolgens schuin in 2 tot 3 cm brede stukken.

▬ Schil de appels, snijd in vieren, verwijder het klokhuis en snijd het vruchtvlees in dunne partjes.

▬ Smelt de boter in een hoge braadpan en braad daarin de stukjes prei en appel. Breng op smaak met zout, peper en komijn. Schenk de warme bouillon erbij en laat het geheel, zonder deksel op de pan, een paar minuten zachtjes koken.

▬ Rooster in de tussentijd de pompoenpitten in een pannetje en strooi ze over de groente.

Romig appel-pruimentoetje

INGREDIËNTEN: 750 g appels • 750 g pruimen • ⅛ l appelsap • 150 g suiker • 1 tl kaneel • 1 tl geraspte citroenschil • 150 g beschuit • 100 g walnoten • 500 g kwark (40%) • 300 g volle yoghurt • 300 ml slagroom • 2 zakjes vanillesuiker • 100 g suiker

■ Schil de appels, snijd in vieren, verwijder het klokhuis en snijd het vruchtvlees in partjes. Was de pruimen, halveer ze, verwijder de pit en snijd de pruimenhelften in tweeën. Breng de pruimen met het appelsap, suiker, kaneel en citroenrasp in een pan aan de kook. Verwarm alles onder af en toe roeren 10-15 minuten. Giet het vocht af en zet de compote in de koelkast.

■ Doe de beschuiten in een plastic zak en maak ze met een deegroller fijn. Meng het kruim met de fijngehakte walnoten.

■ Meng kwark en yoghurt. Klop de slagroom stijf met de vanillesuiker en suiker en spatel dit door het kwarkmengsel.

■ Breng in een grote glazen schaal of in royale wijnglazen een laag compote, een laag van het beschuitmengsel en de kwarkroom aan.

Bessen-theepunch

Deze alcoholvrije punch heeft een heerlijke citrussmaak. Die wordt nog benadrukt door de earlgrey thee, die met de citrusvrucht bergamot is gearomatiseerd. U kunt de geraspte sinaasappelschil ook vervangen door rasp in gedroogde vorm.

Ingrediënten:

2 biologische sinaasappels • 400 g diepvriesbosbessen • ca. 6 perssinaasappels (voor ½ l vers sinaasappelsap) • ¾ l rodedruivensap • 1 el citroensap • 4 el honing • 4 el earlgrey thee (of 6 zakjes) • 1,5 l water

■ Was 1 sinaasappel af onder heet water, dep droog en rasp met een citroentrekker. Snijd vervolgens beide sinaasappels doormidden en maak de partjes los met een scherp mes. Vang het sap daarbij op.

■ Ontdooi de bosbessen. Pers de perssinaasappels uit – u hebt ongeveer ½ liter sap nodig. Verwarm sinaasappel- en druivensap met citroensap en honing. Voeg de bessen en partjes sinaasappel toe aan het warme vocht.

■ Zet in de tussentijd de thee en laat 10 minuten trekken. Schenk dit vervolgens door een zeef in een hittebestendige kom en voeg het fruitmengsel toe. Het is het beste om de punch in kopjes te serveren.

Cocktailparty's

Stijlvol feestvieren

PLECHTIG EN ONGEDWONGEN

Er zijn allerlei gelegenheden waarvoor een wat plechtiger, maar toch ongedwongen sfeer nodig is: een promotie, een bijzonder jubileum of een kroonjaar. Een cocktailparty is dan hét aangewezen feest. De naam doet vermoeden dat het hier eigenlijk vooral om de gemixte

drankjes gaat, maar dat is allang niet meer zo. Je kunt een cocktailparty het beste omschrijven als een klein, chic evenement in een stijlvolle omlijsting. En het is zeker ook een feest dat niet alleen met vrienden wordt gevierd, maar ook met collega's, buren of zelfs met de chef van kantoor. Daarom moet de party ook van een wat hoger niveau zijn: niet alleen gelden er kledingsvoorschriften, ook de decoratie en het eten moeten aan bepaalde eisen voldoen. Hier serveert u een glas goede rode wijn en de meer verfijnde recepten, gemaakt van wat duurdere ingrediënten. Maar dit betekent beslist niet dat de sfeer er minder om is of dat er een enorme aanslag op de portemonnee wordt gepleegd.

De beste tips: cocktailparty

Cocktailparty's zijn geen spontane feestjes, maar stijlvolle evenementen. En daarom verschilt de voorbereiding ook op een aantal punten aanzienlijk van die voor andere feesten.

Stijlvolle uitnodiging

Voor een cocktailparty nodig je de gasten niet mondeling uit. Ze krijgen een schriftelijke uitnodiging, bij voorkeur een kaart en zeker geen e-mail. Zo geeft u duidelijk aan dat u geen luchtig feestje wilt geven, maar een stijlvolle party. Vermeld op de uitnodiging meteen dat bij de gelegenheid passende kleding is gewenst.

Stimuleer de gesprekken

Op cocktailparty's worden geanimeerde gesprekken gevoerd. Je zit niet de hele avond bij een bepaald groepje, maar ontmoet allerlei verschillende mensen. Daarom is het aan te bevelen om er een staande bijeenkomst van te maken. Het is het beste om een paar statafels te huren en voor maar weinig zitgelegenheden te zorgen, die u dan over het hele vertrek verdeelt. Zo voorkomt u van meet af aan dat er vaste groepjes worden gevormd die zich niet verplaatsen.

Kleine hapjes

Wat het eten betreft is vooral fingerfood uitermate geschikt – kleine hapjes, dus, die je met je handen kunt eten en waarvoor je niet aan een tafel hoeft te zitten. Klassiekers zijn bijvoorbeeld canapés en spiesjes. Maar ook kleine salades, handig opgediend in kleine glazen of schaaltjes, kunnen heel goed staande worden gegeten en ze zien er nog heel aantrekkelijk uit ook. Hier kunt u uw vindingrijkheid laten zien: houders voor waxinelichtjes en schoteltjes zijn bijvoorbeeld heel geschikt voor het serveren van kleine, feestelijke porties.

Stemmige muziek

Bij een leuk gesprek kan harde muziek dat uit dreunende boxen komt erg storend zijn.

Geen enkele gast vindt het leuk om het geluid te moeten overschreeuwen. Het is daarom beter om stemmige, maar stijlvolle nummers te draaien, die passen bij de sfeer. Perfect hiervoor zijn jazzklassiekers en loungemuziek.

Smaakvolle decoraties

Voor de decoraties bij een dergelijke gebeurtenis geldt: 'less is more'. Het ophangen van bontgekleurde lampions, grote hoeveelheden bloemen of allerlei feestartikelen in het hele vertrek brengt niet de gewenste sfeer. Zorg voor ingetogen elegantie: een paar kaarsen in stijlvolle kandelaars, wat bloemen in aantrekkelijke glazen vazen en mooi serviesgoed en glaswerk voor het eten en drinken. Dat volstaat.

COCKTAILKAART

Nodigt u uw gasten uit voor een speciale cocktailparty, dan moet u natuurlijk de juiste drankjes kunnen aanbieden. Daarbij heeft het weinig zin om de concurrentie te willen aangaan met een professionele bar, zeker niet wat het aanbod betreft. Beperk u tot een paar cocktails die u op een speciaal voor de party samengestelde kaart aanbiedt.

Bij het bepalen van de drankjes moet u rekening houden met de voornaamste smaakrichtingen: van zachtzuur, fruitig en fris tot en met zoet. Het is het beste om het op twee of drie basisdranken als wodka, gin en whiskey te houden. Dat houdt de kosten beperkt. Schenk alleen cocktails waarvan u de bereiding kent en maak ze van tevoren een keertje om ze te proeven. Voor het maken ervan hebt u de ruimte nodig en het kost veel tijd. Wilt u niet de hele avond bezig zijn met mixen, zorg dan voor de nodige assistentie. Geef daarbij iedereen een duidelijke 'werkplek' – wijs bijvoorbeeld een bepaald gedeelte van de keuken aan – waar ze aan de slag kunnen. En vergeet ook niet dat u een grote voorraad ijsblokjes moet hebben.

Krabcocktail

De krabcocktail behoort tot de klassiekers bij fijne buffetten en cocktailparty's. Ook bij kleine bijeenkomsten met collega's of zakenrelaties zit u met deze salade altijd goed, zeker als u hem in kleine glazen serveert.

De kwaliteit van de krab speelt een belangrijke rol, vooral als aan de salade verder geen ingrediënten – zoals fruit – worden toegevoegd. Met verse krab smaakt een dergelijke cocktail doorgaans bijzonder aromatisch. Gebruikt u diepvrieskrab (diepzeekrab), dan moet u ervoor zorgen dat u deze eerst goed laat uitlekken.

INGREDIËNTEN: 1 sinaasappel • 6 el slasaus • zout • suiker • 1 el ketchup • 1 el cognac • cayennepeper • 450 g krabbenvlees • rode bietenkiemen

Pers de sinaasappel uit, breng het sap in een pannetje aan de kook en laat inkoken. Meng 1 eetlepel sap met de slasaus, wat zout, snufje suiker, ketchup en cognac. Breng op smaak met cayennepeper en roer het krabbenvlees erdoor. Schep het mengsel in kleine glazen en garneer met wat bietenkiemen.

Canapés

Vooral op feestjes die op kantoor worden georganiseerd en bij staande recepties zijn canapés erg populair. Dat komt niet alleen omdat je ze zo makkelijk uit de hand kunt eten. Het aantal mogelijkheden is namelijk enorm. Als broodsoort kan fijn witbrood worden gekozen, maar ook stevig granenbrood of knapperig geroosterd brood. Het brood kan dan op allerlei manieren worden belegd, bijvoorbeeld met vis of vlees, kaas of kaviaar.

ZALM & KAVIAAR: eersteklas kaviaar, de echte, is voor de meeste mensen nauwelijks betaalbaar – voor 50 g belugakaviaar moet je een paar honderd euro neertellen. Voor het garneren van canapés kunt u ook de veel goedkopere kuit van zalm of forel gebruiken. In combinatie met gerookte zalm of gravad lax en een romige saus, bijvoorbeeld met een fijne mierikswortel- of dillesmaak, vormt dit een heerlijk alternatief.

ROSBIEF & ANDER VLEES: fijne plakjes vlees op vers stokbrood, gegarneerd met jonge groente of vers fruit is ook een gewilde variant voor canapés. Het brood wordt dan vaak eerst met een pittige remouladesaus besmeerd, die het aroma afrondt. Lichte vleessoorten als gevogelte harmoniëren uitstekend met lichtgekleurd brood; bij donker vlees mag het brood wat steviger zijn.

Zalmrolletjes

Deze rolletjes zien er bijzonder decoratief uit en zijn heel simpel te maken – dunne pannenkoekjes worden bestreken met een romige saus, belegd met plakjes zalm, opgerold en in kleinere stukjes gesneden.

INGREDIËNTEN: (voor ca. 15 stuks) 80 g bloem
• zout • 1 ei • 100 ml melk • ½ bosje dille • 4 el crème fraîche • wat citroensap • peper • 6-8 plakken gerookte zalm • boter voor de koekenpan

■■■ Meng voor de pannenkoeken bloem en zout in een kom. Voeg al roerend ei en melk toe en blijf roeren tot een glad beslag is ontstaan. Hak de dille fijn en meng daarvan 1 eetlepel door het beslag. Laat het beslag 30 minuten staan.

■■■ Meng voor de vulling de crème fraîche met een scheutje citroensap, zout en peper.

■■■ Laat de boter smelten in een koekenpan, bak 3 dunne pannenkoekjes en laat afkoelen. Bestrijk ze zeer dun met de crème fraîche en beleg met plakjes zalm. Rol ze op en snijd elk pannenkoekje met een scherp mes in 5 stukken.

Haring
op aardappelsalade

INGREDIËNTEN: 1 kleine ui • 4 pimentkorrels
• 4 peperkorrels • ½ bolletje (10 g) gekonfijte gember
• 1 limoen • 100 ml droge sherry • 4 maatjesharingen
Aardappelsalade: 600 g vastkokende aardappels • 200 g
wortels • 1 sjalotje • 1 el fijngehakte peterselie • 1 el fijngeknipt bieslook • 3 el dragonazijn • 8 el raapolie • zout
• peper • snufje suiker • wat blaadjes radicchio voor het
garneren

■■■ Snijd voor de marinade de ui in dunne plakjes, stamp
piment- en peperkorrels fijn en snijd de gember in kleine
stukjes. Spoel de limoen af onder heet water en rasp een
stukje van de schil. Meng alles met de sherry en marineer
de maatjesharingen hierin 24 uur. Laat ze uitlekken en
snijd in reepjes.

■■■ Schil de aardappels voor de aardappelsalade, kook
ze, laat afkoelen en snijd in blokjes. Kook de wortels eveneens en snijd in blokjes. Snipper het sjalotje. Meng de
ingrediënten met de kruiden.

■■■ Meng voor de dressing de azijn, olie, wat zout, peper
en suiker en schenk dit over de salade. Schik kleine hoeveelheden van de salade op het radicchioblad en leg
daarop wat reepjes haring.

Gemarineerde champignons

Het aroma van de champignons komt in de marinade volledig tot ontwikkeling en ze kunnen uitstekend een paar dagen voor het feest worden gemaakt. Om te voorkomen dat de champignons bij het braden vocht verliezen, moet u ze in kleine porties in heet vet braden.

INGREDIËNTEN: 600 g champignons • 2 teentjes knoflook • ½ Spaanse peper • ½ bosje peterselie • olijfolie • zout • peper • 1 citroen • 5 el witte balsamicoazijn • bieslook

■ Maak de champignons schoon en snijd grotere exemplaren in stukjes. Schil en snipper de knoflook. Snipper eveneens de Spaanse peper. Was de peterselie en hak fijn.

■ Verhit de olijfolie in een pan en braad daarin de champignons ongeveer 3 minuten met niet te grote porties tegelijk. Breng op smaak met zout en peper en voeg knoflook, Spaanse peper en peterselie toe.

■ Pers de citroen uit en meng het sap met azijn en olijfolie. Doe de champignons in een kom, schenk de marinade erover en zet afgedekt met folie in de koelkast. Het is het beste om de marinade minstens één dag te laten intrekken. Garneer de champignons voor het serveren met bieslook.

Caesar's salad

Van de bedenker van deze salade, Caesar Cardini, wordt beweerd dat hij wat restjes verwerkte toen hij voor een groot aantal onverwachte bezoekers aan zijn restaurant een lekkere salade uit de hoed moest toveren. Inmiddels zijn er talloze variaties van de Caesar's salad, maar ze hebben met elkaar gemeen dat Parmezaanse kaas en croutons niet mogen ontbreken.

INGREDIËNTEN: 1 grote kipfilet • olijfolie • zout • peper • 2 sneetjes oud witbrood • 4 kropjes Romeinse bindsla • 2 tomaten • 80 g slasaus • citroensap • vers geraspte Parmezaanse kaas

▬   Snijd de kipfilet in plakken en braad deze krokant in hete olijfolie. Bestrooi hem met zout en peper, neem uit de pan en laat afkoelen. Ontkorst het brood, snijd de sneetjes in kleine blokjes en braad ze knapperig in het vet van de kipfilet.

▬   Was de sla, dep droog en scheur in stukjes. Was de tomaten en snijd ze in blokjes. Roer slasaus, wat citroensap, zout en peper tot een dressing en meng deze door de sla. Strooi hierover de geraspte Parmezaanse kaas. Snijd de kipfilet in dunnere reepjes en schik deze met de croutons op de salade.

Gevulde schnitzels

Kleine gevulde schnitzels zijn snel te maken. U kunt voor de vulling naar eigen inzicht allerlei variaties gebruiken. Deze hier is een bonte, pittige vulling van groente die eerst wordt gestoofd. Blijft er nog wat over van de groentevulling, dan kunt u die gebruiken voor het garneren van de schnitzels.

INGREDIËNTEN: (voor 12 minischnitzels) ½ prei • 1 middelgrote wortel • 200 g champignons • olie voor het braden • 4 cl droge sherry • zout • peper • worcestersaus • 3 dunne varkensschnitzels • cocktailprikkers

▬ Maak de prei schoon en snijd in dunne ringetjes. Schrap de wortel en snijd zeer fijn. Maak de champignons schoon en snijd in kleine stukjes. Verhit de olie in een braadpan, braad prei en wortel daarin aan, voeg na 2 minuten de stukjes champignon toe en verhit alles 2 tot 3 minuten. Breng op smaak met sherry, zout, peper en een scheutje worcestersaus en neem de pan van het vuur.

▬ Snijd de schnitzels elk in 4 stukken. Schep op elk stukje vlees wat vulling, vouw samen en steek vast met een cocktailprikker. Braad het vlees aan beide kanten goudbruin en serveer warm.

Crème brûlée

Het bijzondere aan deze crème is het gebrande karamel-korstje. Daarvoor kunt u het beste een kleine brander gebruiken en eventueel de grill. Traditioneel wordt crème brûlée in kleine soufflévormpjes gemaakt, maar u kunt in plaats daarvan ook vuurvaste kopjes nemen. Doe er echter niet té veel van het eiermengsel in.

INGREDIËNTEN: 500 ml melk • 500 ml slagroom • 2 vanillestokjes • 8 eierdooiers • 150 g suiker

▬ Verwarm de oven voor op 150 °C en vet 12 kleine soufflévormpjes in met boter. Snijd 1 vanillestokje open en schraap het merg eruit.

▬ Breng melk en slagroom met het vanillestokje en merg in een pan aan de kook. Neem de pan van het vuur en verwijder het vanillestokje.

▬ Klop eierdooiers en suiker met de mixer tot een romig geheel. Roer er beetje bij beetje de warme vanillemelk door en filter alles vervolgens door een fijne zeef. Schenk het mengsel zodanig in de vormpjes dat er zo min mogelijk schuim bovenop ligt. Laat de inhoud au bain-marie in ongeveer 45 minuten stollen in de oven.

▬ Laat de crème afkoelen in de vormpjes. Verwarm de ovengrill op de hoogste stand. Strooi op elk vormpje ongeveer 1 eetlepel suiker en laat dit even karameliseren onder de grill. Dit moet snel gaan, want de crème moet daarbij koud blijven. Gebruik voor het karameliseren eventueel een speciale brander voor huishoudelijke doeleinden.

Themafeesten

Genieten van de uitdossingen

BIJZONDERE FEESTEN

Feesten met een bepaald motto zijn heel erg leuk, vergroten het saamhorigheidsgevoel en zijn op feestgebied weer eens iets anders. Er zijn talloze thema's te bedenken: van complete verkleedfestijnen die aan carnaval doen denken tot en met folkloristische feestjes of spelletjesavonden.

Maar hoe verschillend dergelijke feesten op zich ook mogen zijn, het gezamenlijke plezier in het thema, dat voortkomt uit het idee om eens een iets heel aparts te doen, staat op de voorgrond. Om zo'n avond te laten slagen, moet in de uitnodiging duidelijk het hoe en waarom worden uitgelegd. Want een themafeest is alleen leuk als echt alle gasten meedoen. En dat lukt alleen als er niet te veel van de genodigden wordt gevraagd, omdat het thema te ingewikkeld is of omdat er veel geld moet worden uitgegeven aan allerlei accessoires.

Een 'James Bond'-feest heeft veel meer kans van slagen dan een 'Star Wars'-feest. In het eerste geval volstaat het namelijk als de mannen in een zwart pak komen en de vrouwen in een chique outfit. Om een echte Star Wars-look te krijgen zijn dure kostuums en allerlei extra's nodig.

Talloze voordelen

Themafeesten hebben niet alleen qua versiering, maar ook wat het eten en de indeling van de avond betreft zo hun voordelen: het thema zelf levert een overvloed aan ideeën voor decoraties en gerechten op. Bij een 'all-in-white'-feest is niet alleen de kleding wit, maar ook de tafellakens, het servies, de kaarsen en de bloemen – en bij de recepten zijn roomcreaties of witte dipsauzen mogelijk. En bij een voetbalfeest is er niet alleen die belangrijke wedstrijd op tv, maar is bijvoorbeeld de tafel gedekt in de clubkleuren, hangen er supporterssjaals en is er volop bier.

Ideeën voor themafeesten

BAD TASTE-PARTY

Je hoeft echt geen innemende schoonheid met Hollywood-aspiraties te zijn om de ster van een feest te worden. Integendeel zelfs: bij een 'bad taste-party' gaat de meeste aandacht juist uit naar de gasten die volkomen opzettelijk blijk geven van een slechte smaak.

Een strak zittende legging, zoals in de jaren tachtig gebruikelijk was, gecombineerd met volkomen misplaatste schoenen, daarbij een hawaïhemd waarvan te veel knoopjes zijn losgemaakt, met daaronder het witte ribbeltjesoverhemd van opa, en dat alles gecompleteerd met een chique pilotenbril, nepborsthaar en een leuke rastapruik: dat kun je echt het toonbeeld van slechte smaak noemen. Dergelijke feesten zijn dus niet echt ideaal als je tot in de toppen van je vingers modebewust bent, maar meer iets voor iedereen die zijn beste vrienden weleens als echte freaks wil bewonderen. En: niet bij elkaar passende kledingstukken aantrekken kan iedereen, daarvoor hoef je geen onnodige kosten te maken.

SEVENTIES

Het is inmiddels echte cultkleding: de bonte kleding in vaak schreeuwerige kleuren uit de jaren zeventig. Een broek met wijde pijpen, een roze shirt, een Afghaanse jas en leren laarzen. Of een zilverkleurige legging, gecombineerd met plateauschoenen, een flower power-shirt en een bijpassende pruik. Seventiesfeesten zijn altijd een bonte, vrolijke mengeling van plezier maken en cult. En wat het eten betreft zijn er de huzarensalade, knakworstjes, saucijzenbroodjes en pasteitjes met ragout. Als muziek dreunen de klanken van Gary Glitter, Abba en Kiss uit de luidsprekerboxen.

HOEDENFEEST

'Zorg ervoor dat je je apartste hoed op hebt' staat er op de uitnodiging voor het hoedenfeest.

Hoe schreeuweriger de hoed, hoe beter. Wie zich perfect wil stylen, knutselt zelf iets in elkaar: van papier-maché, wat restjes stof of natuurlijke materialen waaraan een paar haarspelden zijn geplakt ontstaan de wonderlijkste creaties. Als goed gastheer/gastvrouw hebt u voor spelbrekers een paar eigen of geleende hoeden paraat.

KARAOKEAVOND

'A new popstar is born' – dat is het motto van een karaokefeest. Absoluut noodzakelijk daarbij zijn een microfoon en computersoftware. Het wordt natuurlijk helemaal perfect als u een speciale karaokeset hebt. Maar het kan ook eenvoudiger: op internet de songteksten googelen en meezingen.

POKERFACE

De spelletjesavond is aan een echte opmars bezig, samen een spel doen is leuk en een trend. Heel populair op dit moment is pokeren. Voor het echte Las Vegas-gevoel is natuurlijk een speciale pokerkoffer nodig en bijpassende drankjes, zoals cocktails op basis van whiskey.

Folklorefeesten

TRADITIONEEL PLEZIER

Al heel oud en altijd leuk – dat zijn de nationale volksfeesten die soms eeuwen geleden al voor vrolijke gezichten en een geweldige sfeer zorgden. Een voorbeeld daarvan zijn de Spaanse fiësta's: in speciale kledij en op folkloristische muziek viert men op het Iberisch schiereiland zowel vroeger als nu de prachtigste feesten.

Feesten met een folkloristisch tintje hebben allerlei voordelen. De speciale klederdracht zorgt voor grappige en vaak ook stijlvolle kleding. Bijna altijd horen bij zo'n feest ook bepaalde muziek en dansen. En niet in de laatste plaats is het zo dat bij volksfeesten traditionele gerechten worden geserveerd, wat de keuze van de recepten uiterst eenvoudig maakt. Daarbij komt nog dat je naar de juiste versieringen voor het feest meestal ook niet lang hoeft te zoeken.

EEN GROOTS DUITS 'OKTOBERFEST'

Een van 's werelds bekendste volksfeesten en met 6 miljoen bezoekers ook zonder twijfel het grootste ter wereld, is het Oktoberfest in München. Jaar in, jaar uit strijken enthousiaste bezoekers uit alle windstreken neer op het evenemententerrein. Tegenwoordig worden er alom uitbundige themafeesten met als uitgangspunt het Oktoberfest georganiseerd.

Zo'n 200 jaar geleden werd voor het eerst in de herfst in heel Beieren voorafgaand aan het nieuwe brouwseizoen feest gevierd. Uit deze traditionele bierfeesten is het Oktoberfest van München voortgekomen, een werkelijk reusachtig feest. Ruim twee weken lang wordt hier de ene 'Mass' na de andere achterovergeslagen: bier uit de beroemde pullen met een inhoud van 1 liter.

Het is helemaal niet zo moeilijk om de sfeer van de biertenten – met de klassieke Beierse kleuren blauw en wit, de blaasmuziek en natuurlijk het traditionele eten – naar de eigen vier muren over te brengen. En een dergelijk feest kan ook prima buiten worden gehouden, ter afsluiting van het zomerseizoen.

DE BESTE TIPS: OKTOBERFEST

De benodigde basisuitrusting, bestaande uit een feesttent met tafels en banken en de bierpullen, kan vaak worden gehuurd bij de slijterij. Ook op internet zijn allerlei verhuurbedrijven te vinden. Wilt u helemaal in stijl blijven, dan serveert u geen gewoon bier, maar een zwaardere soort.

BIJPASSENDE FEESTVERSIERING

Wit-blauwe slingers en wit-blauw geruite tafellakens zorgen in elk vertrek en op elk terras meteen voor de karakteristieke Oktoberfest-sfeer. U kunt ook op internet (door op 'Oktoberfest' en 'versiering' te googelen) inspiratie opdoen. Ook in Nederland zijn speciale Oktoberfest-pakketten verkrijgbaar.

EEN GESCHIKTE OUTFIT

Een groot deel van de charme van een folklorefeest is gelegen in de kleding. Bij een Oktoberfest stelen de vrouwen in een dirndljurk met diep decolleté en de mannen in een korte lederhose gegarandeerd de show. Dergelijke kleding is gewoon te huur. U vindt bijvoorbeeld adressen door op Google 'dirndljurk huren' of 'lederhose huren' in te tikken. En ook met alleen een pruik met lange vlechten of een Duitse punthoed komt u al aardig in de buurt van de Duitse bierfeestsfeer.

DE JUISTE MUZIEK

U kunt natuurlijk, om geheel in stijl te blijven, uw gasten overspoelen met folkloristische muziek, zoals Beierse blaasmuziek – maar dat is beslist geen verplichting! In München wordt ook op de laatste hits gedanst.

KLASSIEKE SPECIALITEITEN

Op een echt folklorefeest mogen de klassieke gerechten niet ontbreken. Tijdens het Oktoberfest worden bijvoorbeeld zoute broodkrakelingen met boter gegeten en ook de Beierse specialiteit obazda: met uien en specerijen gekruide zachte kaas. Bij de krakelingen, 'Brezel' geheten, wordt in aparte spiralen gesneden rammenas geserveerd. Dit zijn koude gerechten, die op het Oktoberfest meestal rond lunchtijd worden gegeten. Wilt u ook iets warms op tafel zetten, dan kunt u Beierse kool met worstjes en zoete mosterd maken. De Duitsers vinden deze worstjes trouwens op elk moment van de dag heerlijk!

AANVULLENDE GERECHTEN

Gerechten als obazda en zoete zuurkool zijn dan wel heel klassiek, maar het is maar de vraag of iedereen ervan houdt. Voor alle zekerheid kunt u het buffet dan ook aanvullen met andere gerechten, zoals salades.

Wittekool met worstjes

Van wittekool wordt ook zuurkool gemaakt, maar deze variant is juist zoet. Er worden vaak worstjes bij geserveerd. Afhankelijk van de omvang van het buffet moet u rekenen op 1 of 2 worstjes per persoon.

INGREDIËNTEN: 1,5 kg wittekool • 150 g doorregen spek • 90 g varkensreuzel • 3 tl suiker • ½ l vleesbouillon • 3 el wittewijnazijn • karwijzaad • zout • 12 (of 24) Weißwürste (witte Duitse worstjes) • zoete Beierse mosterd

■■ Maak de wittekool schoon en snijd in dunne reepjes. Snijd het spek in kleine stukjes. Verhit de reuzel in een grote braadpan en braad het spek daarin knapperig. Voeg de suiker toe en laat karameliseren. Voeg de kool toe en stoof de reepjes even mee.

■■ Blus met vleesbouillon en wittewijnazijn. Voeg het karwijzaad toe, doe het deksel op de pan een laat op een laag vuur 20 tot 30 minuten sudderen. Neem het deksel van de pan en verwarm de inhoud zo lang tot al het vocht is verdampt en de kool zacht is. Roer af en toe door, zodat de kool niet aanbrandt. Breng op smaak met wat zout.

■■ Verwarm de worstjes in water en serveer met zoete mosterd.

Broodkrakelingen

Ze zijn hét culinaire symbool van het Oktoberfest: brood-krakelingen. Ze krijgen hun karakteristieke kleur door een sodabad. De dubbelkoolzure soda die hiervoor wordt gebruikt, is verkrijgbaar in de supermarkt of bij de apotheek.

INGREDIËNTEN: (voor ca. 12 krakelingen) 500 g bloem • 2 zakjes droge gist • ½ tl suiker • ½ tl zout • 250 ml water • 50 g zachte boter • 2 el dubbelkoolzure soda • 1 l water • grof zeezout

Meng voor het deeg de bloem met gist, suiker, zout, water en in stukjes gesneden boter. Maak er met de deeg-haken van de mixer een samenhangend geheel van. Laat het deeg zolang rijzen tot het zichtbaar in omvang is toe-genomen. Kneed het vervolgens op een met bloem besto-ven werkvlak nog een keer goed door, verdeel in 12 porties en vorm daarvan krakelingen.

Breng in een hoge pan 1 l water aan de kook. Neem de pan van het vuur en roer de dubbelkoolzure soda er langzaam en voorzichtig door, omdat het water sterk kan gaan bruisen.

Dompel de krakelingen nu met een soeplepel ongeveer

20 seconden in het warme water. Laat ze vervolgens goed uitlekken en leg ze op een met bakpapier beklede bakplaat.

▬ Bestrooi de krakelingen met zeezout en bak ze ongeveer 20 minuten in een op 200 °C voorverwarmde oven. Laat ze aansluitend afkoelen op een rooster.

Obazda

Obazda was oorspronkelijk het verwerken van restjes kaas. Tegenwoordig wordt het van zachte kaassoorten gemaakt, zoals camembert. Afhankelijk van de gekozen soort kan de crème heel pittig zijn; voor een mildere variant wordt bijvoorbeeld kwark gebruikt. In Beieren wordt vaak nog een scheutje bier toegevoegd om voor extra pittigheid te zorgen – als drank past het er dan natuurlijk perfect bij. Bij obazda worden verse broodkrakelingen of roggebrood gegeten.

INGREDIËNTEN: 450 g rijpe camembert • 300 g kwark (of ricotta of cottage cheese) • 3 el zachte boter • 6 el bier • 3 kleine uien • zout • peper • paprikapoeder, mild • ½ bosje bieslook • 2 tl karwijzaad

▬ Snijd de camembert in kleine blokjes. Voeg kwark, boter en bier toe en meng alles.

▬ Schil en snipper de uien. Breng de kaascrème op smaak met ui, zout, peper en paprikapoeder en zet in de koelkast.

▬ Was het bieslook, knip in kleine rolletjes en strooi deze over de kaascrème. Hak het karwijzaad fijn en geeft dit er apart bij.

All in white

WITTER KAN HET NIET

Er zijn talloze mogelijkheden om een feest er te laten uit-
springen. 'All in white' is van al die mogelijkheden beslist
de simpelste en tegelijkertijd de effectiefste.

Witte kleding heeft bijna iedereen wel in de kast hangen – en daardoor is het zelfs voor iemand die niets van
mode weet niet moeilijk om een passende outfit te vinden:
een wit T-shirt, overhemd of bloes volstaat. Het is natuurlijk het beste om helemaal in het
wit te gaan, als het even kan
compleet met een witte zomer-
hoed of gymschoenen.

Maar niet alleen de kleding,
ook de versiering kan zonder al
te veel moeite op het thema worden afgestemd: van witte tafellakens en wit servies tot en met
witte gerechten – alles is mogelijk.

DE BESTE TIPS: ALL IN WHITE

Hoe witter, hoe beter– dat is simpelweg het devies dat niet alleen geldt voor de kleding van de gasten, maar vooral ook voor de versieringen en niet te vergeten het buffet en de drankjes.

WITTE BLOEMEN

Bloemen zien er niet alleen mooi uit, ze helpen ook mee om de omgeving vriendelijker en levendiger te maken. Het is het beste om planten met witte bloemen te nemen, zoals margrieten, of tulpen en chrysanten – ook lelies zijn mogelijk. Zet deze in witte of glazen vazen.

WITTE OVERTREKKEN

Het zal altijd veel indruk maken als ook de meubels in zacht wit zijn uitgevoerd. Probeer daarom ergens witte stoelovertrekken of foulards te regelen. Maar het kan nog eenvoudiger door over de bank een wit laken te leggen. Over de stoelen hangt u dan ook witte lakens of doeken, die u vastmaakt met – liefst ook witte – touwen. Dat oogt weliswaar niet zo strak als een echt overtrek, maar beantwoordt toch aan het doel.

WITTE TAFELS

Geheel in overeenstemming met het thema worden natuurlijk ook de tafels gedekt met witte tafellakens. Bent u zelf
niet in het bezit van voldoende witte tafellakens, dan kunt u
ze vast wel lenen van iemand uit uw vriendenkring. Als echter de kans bestaat dat er moeilijk te verwijderen vlekken
ontstaan – bijvoorbeeld door rode wijn – dan kunt u beter
witte lakfolie uit de bouwmarkt gebruiken of – heel goedkoop – een stuk rauhfaser.

WIT SERVIES

Natuurlijk is wit serviesgoed het meest geschikt. Is uw eigen
voorraad ontoereikend, dan kunt u natuurlijk ook borden
en bestek van wit plastic aanschaffen. En als u dat leuk vindt,

kunt u zelfs de drankjes serveren in witte kopjes.

Witte cocktails

Bij het vaststellen van de drankjes, kunt u bijvoorbeeld kiezen voor witte cocktails met ingrediënen als melk, Batida de Coco of room. Daaronder valt bijvoorbeeld de 'Brandy Alexander': deze cocktail behoort tot de categorie 'sweet & creamy' en is gemaakt van 4 cl Apricot Brandy, 2 cl cacaolikeur en 3 cl slagroom. U mixt de ingrediënten in een shaker en zeeft ze vervolgens in een cocktailglas. Vervolgens kunt u het drankje verfijnen met vers geraspte nootmuskaat en er een paar rietjes in steken. Andere witte cocktails zijn 'Golden Cadillac', de 'White Lady' en de algemeen bekende 'Pinacolada'.

Zwart licht & witte kaarsen

Zwart licht is altijd een succes en het mag op geen enkel all-in-white-feest ontbreken. Het zorgt niet alleen voor een geweldige sfeer, maar ook voor leuke effecten, zeker op de dansvloer. Bovendien kun je met zwart licht witte letters, zoals een welkomstgroet, op een bijzondere manier accentueren. Er zijn allerlei gloeilampen en tl-buizen verkrijgbaar, die geschikt zijn voor gebruik in gewone lampen.

Voor romantisch licht dat helemaal bij de sfeer past, zorgen natuurlijk ook witte kaarsen en waxinelichtjes. Zet kaarsen bij voorkeur in witte kandelaars en waxinelichtjes in witte kommetjes of houders; u kunt ook witte borden gebruiken om de kaarsen een bij het thema passende, veilige ondergrond te geven. En moet het toch wat lichter zijn: witte lichtkettingen zijn bijvoorbeeld een prima verlichting voor het buffet.

Witte versiering

Witte versieringen: waar haal ik dat dan vandaan? Bij die vraag past een eenvoudig antwoord, want als u uw eigen spullen even nagaat, vindt u al snel iets geschikts, zoals witte schelpen, witte kettingen of witte doeken. Met maar weinig inspanning maakt u ook snel andere witte versieringen, namelijk met een bus witte spuitlak. Hiermee kunt u takjes of bladeren van een mooi wit laagje voorzien.

Ricottacrème

Helemaal in het wit, dat is deze crème op basis van fijne Italiaanse ricotta die werd geschikt op witlofblad.

INGREDIËNTEN: 2 stronkjes witlof • 1 bosje bieslook • 1 bosje gladde peterselie • 500 g ricotta • 250 ml slagroom • zout • peper • 1 scheutje citroensap • 4 el hazelnootolie

▬ Maak de witlof schoon en leg de bladeren ongeveer 5 minuten in lauw water. Spoel ze vervolgens af met koud water en laat uitlekken.

▬ Was bieslook en peterselie en dep droog. Houd wat sprietjes bieslook achter voor de garnering en hak de rest van de kruiden fijn.

▬ Doe de ricotta in een kom en roer de slagroom erdoor. Meng de fijngehakte kruiden erdoor en breng de crème op smaak met zout, peper en citroensap.

▬ Leg de witlofbladeren op een witte schaal of borden en schep er telkens 1 eetlepel ricottacrème op. Sprenkel de hazelnootolie erover en garneer met het achtergehouden bieslook.

Aardappels in een zoutkorstje

Een intense rozemarijngeur trekt door het huis als deze geheimzinnige witte zoutberg uit de oven komt. Het openbreken van de zoutkorst kunt u samen met de gasten doen! Onder de laag zout gaan aromatische aardappels schuil met een mediterraan tintje. U kunt er een kruidendipsaus bij serveren op basis van kwark.

INGREDIËNTEN: 16 middelgrote aardappels (vastkokend) • wat takjes rozemarijn • 5 eiwitten • 4-5 kg ongeraffineerd zeezout

■ Verwarm de oven voor op 200 °C. Was de aardappels en rozemarijn en dep droog.

■ Klop de eiwitten romig en roer alles met het zeezout en een klein scheutje water tot een dikke massa. Schep de helft hiervan op een met bakpapier beklede bakplaat. Verdeel daarover de aardappels en rozemarijn en dek vervolgens goed af met de rest van het zoutmengsel.

■ Bak de aardappels eerst 1 uur op 200 °C. Zet de oven dan op 60 °C en verwarm ze nog eens 50 minuten. Breek de zoutkorst met een mes open.

Panna cotta

De Italiaanse panna cotta mag er dan onschuldig uitzien, het is echter op en top verleidelijk – dat blijkt al uit de naam: panna cotta betekent namelijk letterlijk 'gekookte room'. En dat is de zonde wel waard.

INGREDIËNTEN: 9 blaadjes witte gelatine • 3 vanillestokjes • 1,5 l slagroom • 9 el suiker

▬ Week de gelatine in koud water.

▬ Snijd de vanillestokjes in de lengte open, schraap het merg eruit en doe dit samen met de vanillestokjes en de room in een pan. Voeg de suiker toe en breng al roerend aan de kook. Laat op een laag vuur met het deksel op de pan ongeveer 15 minuten zachtjes koken en neem de pan van het vuur.

▬ Verwijder de vanillestokjes. Knijp de gelatine uit en laat onder voortdurend roeren oplossen in de warme vanilleroom.

▬ Schep de room in een goed gekoelde schaal en zet de panna cotta bij voorkeur een nacht lang in de koelkast.

TIP: de panna cotta wordt minder machtig als u een kwart van de slagroom door melk vervangt.

Leuke feestdagen

FEESTEN MET HALLOWEEN, CARNAVAL & ZO

Een jaar telt volop dagen waarop een feest kan worden gevierd. Naast de belangrijke christelijke feestdagen als Kerstmis en de nationale feestdagen zijn feestklassiekers zoals carnaval reden genoeg om vrienden en familie uit te nodigen en de bloemetjes buiten te zetten.

Een populaire aanleiding voor een feest is steeds vaker 31 oktober: Halloween. Op de avond voor Allerheiligen waren spoken en geesten rond. Uitgeholde pompoenen verlichten de huisdeuren. Gemaskerde kinderen trekken door de straten, drukken bij alle huizen op de bel en roepen 'een snoepje of ik schiet' of 'trick or treat': 'een snoepje, anders haal ik kattenkwaad uit!' Voor deze gelegenheid tovert u het feestvertrek om in een gruwelkabinet, om samen met geestverwanten een griezelig leuk Halloweenfeest te vieren.

De beste tips: Halloween

Feesten zijn vaak met bepaalde accessoires verbonden, zoals Pasen met de paashaas en met bontgekleurde eieren, Kerstmis met de kerstboom en sterren en Halloween met pompoenen en griezelige maskers – en dat levert talloze mogelijkheden voor een geschikte aankleding op.

Griezelig mooie accessoires

Voor een geslaagd Halloweenfeest is een zo griezelig mogelijke sfeer nodig, die de gasten over het hele lichaam kippenvel bezorgt. Suggesties voor decoraties zijn eenvoudig op internet te vinden via zoekopdrachten als 'Halloweenfeest', maar ook in feestartikelenwinkels en steeds vaker ook

Een Halloweenpompoen maken

Snijd eerst zigzagsgewijs een kapje van de pompoen. Hol de pompoen vervolgens helemaal uit met een gewone eetlepel. Het vruchtvlees kan overigens prima worden gebruikt voor een van de recepten voor het feestbuffet. Snijd nu met een keukenmes een griezelig gezicht in de zijkant van de pompoen. Het is het beste om hiervoor geometrische vormen te gebruiken. Zet tot slot een waxinelichtje in de pompoen en plaats het kapje weer terug: klaar is het pompoengezicht.

in supermarkten. Wat tijdrovender, maar beslist goedkoper is het om zelf de juiste sfeer te creëren: kartonnen spoken en spinnen kunnen van eenvoudig materiaal snel zelf worden gemaakt – en ze zijn absoluut onmisbaar. De klassieke Halloweenkleuren zijn zwart, oranje, wit en geel. De karakteristieke Halloweenpompoen mag in geen geval ontbreken.

Een huiveringwekkend buffet

U kunt ook het buffet prima bij de griezelige sfeer betrekken. Suikerspin is bijvoorbeeld uitermate geschikt als 'spinrag' over kleine, zoete gerechtjes. En door accessoires als plastic

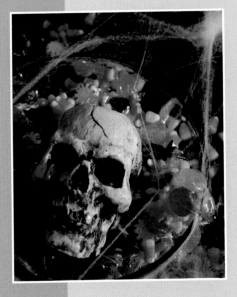

spinnen en doodshoofden wordt het pas echt een 'smaakvol' geheel.

DE JUISTE MUZIEK

Geen feest zonder muziek. Maar alleen het feit dat Halloween een griezelfeest is, wil nog niet zeggen dat je van de muziek de rillingen moet krijgen. Integendeel zelfs: Halloween moet niet alleen angst aanjagen, maar moet vooral voor plezier zorgen. Het is daarom het beste om echte feestmuziek uit de boxen te laten klinken die meteen voor vrolijkheid zorgt en aanspoort om te gaan dansen.

EEN GOEDE OUTFIT

Een feest moet het hebben van zijn gasten! Om ervoor te zorgen dat de sfeer goed is, en ook goed griezelig, moeten de gasten met Halloween natuurlijk verkleed zijn. Heel populair zijn spookuitdossingen in allerlei uitvoeringen. U kunt er met een laken, een stift en een schaar heel simpel zelf een maken. Met wat schmink, of bijvoorbeeld met een kohlpotlood, kun je in een handomdraai de griezeligste gezichten tekenen. Speciale maskers – van heksen en vampiers tot en met zombies – zijn verkrijgbaar in feestartikelenwinkels of via internet ('Halloweenartikelen').

DE 'HOME HAUNT'

De 'Home Haunt' (huisspook) is een typisch Amerikaanse Halloweentraditie, waarbij kinderen worden uitgedaagd om eerst een 'spooktocht' te maken voordat ze mogen snoepen. Hang daartoe zo griezelig mogelijke decoraties op en doe voor de rondgang alle lichten uit. Het is ook mogelijk om de gasten met allerlei speciale effecten de stuipen op het lijf te jagen. Wie zijn Halloweenfeest dus iets heel speciaals wil geven, zorgt voor een bijzondere en angstaanjagende Home Haunt.

HET PERFECTE LICHT

Zelfs de mooiste vermommingen en de duurste decoraties komen niet echt tot hun recht als het licht niet klopt: te fel licht is funest voor een griezelige sfeer en komt daarom zeker niet in aanmerking. Maar het moet ook niet te donker zijn – schemerlicht en schaduwen hebben een speciale charme. Zwak, gedempt of gekleurd licht en vooral kaarsen en lampions zorgen ook voor de juiste sfeer. En het wordt helemaal perfect als u een klein nevelapparaat gebruikt.

Pompoenschotel

INGREDIËNTEN: 1 pompoen (bijv. muskaat-pompoen 4-5 kg) • 20 g boter • zout • peper uit de molen • 750 g vastkokende aardappels • 400 g wortels • 300 g prei • 400 g cabanossi • 3 el olie • 60 g crème fraîche • 2 l groentebouillon • cayennepeper

Schraap het vruchtvlees met een lepel uit de pompoen en laat daarbij een rand van ongeveer 2 cm vrij. Verwijder de pitjes. Weeg 1 kg vruchtvlees af en snijd dit in blokjes. Braad ze aan in boter en breng op smaak met zout en peper. Pureer een derde deel van het vruchtvlees.

Maak aardappels, wortels en prei schoon. Snijd de aardappels in blokjes, de wortels in plakjes en de prei in dunne ringetjes. Snijd de cabanossi in plakjes.

Braad aardappel, wortel en de helft van de cabanossi aan in de olie, schenk er 1 l bouillon bij en laat afgedekt 15 minuten koken. Voeg de prei, blokjes pompoen, gepureerde pompoen, de rest van de worst en bouillon toe en laat nog eens 10 minuten zachtjes koken. Roer de crème fraîche erdoor en breng op smaak met zout en cayennepeper.

SERVEERTIP: als u dit gerecht in de uitgeholde pompoen serveert, moet hij stevig staan!

Spookhanden

Deze spookachtige puddinghanden kunt u het beste met zijn tweeën maken, omdat er iemand nodig is om bij het vullen van de pudding de handschoen vast te houden! U kunt de handen in de juiste vorm brengen door in de vriezer op de rug van de hand een niet te zwaar voorwerp te leggen.

INGREDIËNTEN: 1 l melk • 2 zakjes vanillepudding-poeder • 8 el suiker • 1 glas rood vruchtensap • 1 glas gezoete bessen • 1 zakje amandelschaafsel • 3 wegwerp-handschoenen (ongepoederd)

▬ Kook de pudding volgens de aanwijzingen op de verpakking en laat iets afkoelen; roer de massa daarbij af en toe door, zodat geen vel ontstaat.

▬ Spoel de wegwerphandschoenen om met warm water. Vul de handschoenen met lauwe pudding. Let er daarbij op dat de vingers goed worden gevuld met pud-ding, maar dat er nog voldoende ruimte overblijft om de handschoenen dicht te binden. Sluit de handschoenen goed af en leg ze een paar uur in de vriezer.

▬ Leg de bevroren handschoenen op een grote schaal en laat ze iets ontdooien. Knip ze vervolgens voorzichtig open en verwijder de handschoenen.

■ Verdeel het vruchtensap en de bessen over en naast de handen. Gebruik het amandelschaafsel voor de vingernagels.

Spinnenwebtaart

INGREDIËNTEN: 200 g pure chocolade • 6 eieren • 200 g zachte boter • 200 g suiker • 150 g bloem • ½ zakje bakpoeder • 200 g gemalen hazelnoten • snufje zout • 200 g donkere couverture • 150 g witte couverture

▬ Breek de chocolade in kleine stukjes, smelt deze au bain-marie en laat iets afkoelen. Splits de eieren.

▬ Roer boter en suiker tot een romig geheel en klop er een voor een de eierdooiers door. Meng bloem, bakpoeder en noten en roer dit door het beslag. Meng de afgekoelde, nog vloeibare chocolade erdoor. Klop de eiwitten stijf met een snufje zout en spatel door het beslag.

▬ Doe de massa in een ingevette springvorm en bak ongeveer 45 minuten in het midden van een op 175 °C voorverwarmde oven.

▬ Smelt de donkere couverture au bain-marie en verdeel dit over de gehele taart. Laat drogen. Smelt de witte couverture, vul er een spuitzak met klein spuitmondje mee en breng een spinnenwebpatroon aan. U kunt er als grapje nog een plastic spin op zetten.

Vrouwenpower

SAMEN PLEZIER HEBBEN

Het is niet zo dat meisjes en vrouwen pas sinds 'Sex and the city', de legendarische Amerikaanse tv-serie, weten hoe je plezier maakt. Integendeel: al van oudsher weten ze hoe je de dingen vieren moet. Dat kan zijn bij de beruchte, gezellige 'dameskransjes', bij traditionele feestelijke bijeenkomsten naar aanleiding van den internationale vrouwendag en zeker ook bij feesten als carnaval – het 'zwakke' geslacht wist en weet altijd hoe je een feestje bouwt. En hier zijn alle vrouwen het over eens: het maakt niet uit of het om een officiële aangelegenheid gaat of dat er geen echte aanleiding is – er is niets leukers dan een geslaagd feest met meiden onder elkaar.

Daarvoor is niet echt veel nodig: leuke vriendinnen, wat tijd – en uiteraard geen mannen, ook al zullen ze zeker ter sprake komen. En als dan ook nog de omgeving sfeervol is, kan vrijwel geen enkel ander feest daaraan tippen.

DE BESTE TIPS: VROUWENFEESTEN

Ook al weet je van tevoren dat je bij een feest met alleen vriendinnen volop plezier zult hebben, met wat voorbereiding wordt het nóg leuker.

GEWOON OP DE GROND

Een geslaagd meidenfeest moet het hebben van een ongedwongen sfeer. Je moet jezelf kunnen zijn, dat is het allerbelangrijkste. Als iedereen comfortabel kan zitten, is dat de

'basis' voor luchtige gesprekken en lekkere rod-
dels. Een paar kussens op een zacht vloerkleed
zijn dan een prima alternatief voor ongemak-
kelijk zittende stoelen.

Kleine overtredingen

Natuurlijk, afvallen is voor meiden ook op feesten vaak onderwerp van gesprek. Rauwkost, in
allerlei variaties, mag daarom in geen geval
ontbreken en dat geldt ook voor heerlijke
meloenspiesjes of een verfrissende komkom-
mersoep. Maar ook de wat exclusievere lekkernijen zoals garnalenspiesjes – simpel en snel
gemaakt – vallen altijd in goede aarde. Maar
hoe gezond en heerlijk dit alles ook mag zijn,
kleine zoete lekkernijen, waarvan het water je
in de mond komt, moeten er uiteraard ook zijn.
Een fijne chocolademousse, een paar goede
bonbons of gewoon een portie ijs: dan is een
meidenfeest pas écht af.

Een programma maken

Alleen maar met elkaar kletsen kan op den
duur een beetje vervelen. Er mag dan ook
gerust een bepaald programma worden
gemaakt. Waarom niet op een druilerige dag
met alle vriendinnen samen naar de nieuwste

tranentrekker uit de video-theek kijken, zonder dat daarover meteen allerlei opmerkingen van de mannen komen? Ook een modeshow is gegarandeerd een succes. Iedereen neemt gewoon zijn laatste aanwinsten mee, showt zijn mooiste outfits en met de digitale camera wordt een fotoshoot gemaakt. En ook een beauty arrangement is mogelijk: laat wat fijne aroma's verstuiven of zet een geurlamp neer, breng bij elkaar gezichtsmaskers aan of geef elkaar een ontspannende massage – mens, wat wil je nog meer?

De sterren raadplegen

Wat gaat de toekomst brengen? Wat staat er in mijn horoscoop en wat voorspellen de kaarten? Het is altijd spannend om te achterhalen wat er in de sterren geschreven staat. Het is het eenvoudigst om tarotkaarten te gebruiken – zijn die niet voorhanden, dan kunnen ook aan elkaar de laatste horoscopen worden voorgelezen. En als zelfs dat te veel inspanning is: gewoon met elkaar naar de sterren kijken en elkaar je toekomstdromen vertellen.

Zwijmelmuziek

De mannen mogen bij meidenfeesten
alleen voor begeleiding op muziekgebied
zorgen. Eindelijk kan er van smartlappen
en zwijmelsongs – van de Bee Gees tot en
met Robbie Williams – worden genoten
zonder dat daarbij de smaad van het
mannelijk deel der natie over je heen
komt. Zorg dus dat er een reeks hits klaarligt.

Prikkels

Zeker als er geen mannen verschijnen,
mag er gerust van de drankjes een beetje
prikkeling uitgaan! Een glas prosecco lijkt
ervoor geschapen om een meidenfeest
echt op gang te brengen. En waarom zou
je om te vieren dat je bij elkaar bent niet
een keer een fles champagne opentrekken?

Een heerlijk alternatief zijn natuurlijk
ook cocktails – en dan hoeft er niet
meteen een enorme keus te zijn. Het is het
beste om een simpel, lekker recept uit te
zoeken, zoals een perzikcocktail: meng
citroensap met campari, schenk dit bij
wat stukjes perzik in een glas en doe er
wat mousserende wijn bij.

Komkommersoep light

Komkommers zijn goed voor het lichaam: op de ogen zorgen ze in de vorm van plakjes voor een weldadige ontspanning en in deze soep voor verfrissend en vooral caloriearm genieten! Wordt als basis voor deze lichte soep yoghurt gebruikt, dan kan toch een scheutje room worden toegevoegd om de smaak te verfijnen, zonder dat dit meteen een aanslag pleegt op de lijn.

INGREDIËNTEN: 2 sjalotjes • 3 slangkomkommers • 1.500 g magere yoghurt • 1 bekertje zure room • 100 ml slagroom • 4 el wittewijnazijn • 3 scheutjes vloeibare zoetstof • zout • peper • 2 bosjes dille

■ Schil en snipper de sjalotjes. Schil de komkommers, halveer ze in de lengte, verwijder het zaad en snijd het vruchtvlees in blokjes. Pureer sjalot en komkommer.

■ Meng yoghurt, zure room en slagroom door de puree, voeg azijn, zoetstof, zout en peper toe en klop goed door met de mixer.

■ Was de dille, hak fijn en roer door de soep.

SERVEERTIP: op warme dagen kan de soep ook als verfrissend drankje in een glas worden geserveerd, het liefst met wat ijsblokjes.

Garnalenspiesjes de luxe

Overheerlijk zijn kleine garnalenspiesjes met twee verschillende dipsauzen, die heel snel te maken zijn.

INGREDIËNTEN: 24 grote garnalen (gepeld) • 1 biologische citroen • 60 g boter • 24 kleine spiesjes

▬ Spoel de garnalen af onder koud water en dep ze droog met keukenpapier. Rijg telkens één garnaal aan een spiesje. Was de citroen af onder heet water, dep droog en rasp de schil met een citroentrekker.

▬ Laat de helft van de boter op een middelhoog vuur in een braadpan smelten en stoof daarin 12 spiesjes zo'n 2 minuten. Neem de spiesjes uit de pan, laat de rest van de boter in de pan smelten en voeg 1 theelepel citroenrasp toe. Voeg na een minuut de resterende garnalenspiesjes toe en braad ze eveneens 2 minuten.

APPEL-CALVADOSDIPSAUS: meng 200 g crème fraîche, 50 g yoghurt en 1 tl ketchup met wat zout en 2 el calvados. Schil ¼ appel, rasp fijn, meng met 1 tl citroensap en roer door de crème. Breng goed op smaak met ca-yen-nepeper.

KERRIE-MOSTERDDIPSAUS: meng 100 g sla-
saus, 100 g crème fraîche, 1 el milde mosterd en 1 tl
citroensap. Breng op smaak met 1 tl kerrie, een snufje suiker en zout.

Chocoladebom

Deze chocoladeroom is de zonde wel waard – voor een perfecte smaak loont het om een goede chocoladesoort te gebruiken van eersteklas cacao. Hoe hoger het percentage cacaobestanddelen, hoe voller de chocoladesmaak! Ideaal is chocolade met zo'n 70% cacaobestanddelen.

INGREDIËNTEN: 400 g pure chocolade • 6 eieren • 500 ml slagroom • 3 el cognac • wat heet water • 60 g suiker

▬ Breek de chocolade in stukjes, smelt deze au bain-marie en laat iets afkoelen.

▬ Splits de eieren, klop de eiwitten stijf en zet in de koelkast. Klop de slagroom stijf en zet eveneens in de koelkast.

▬ Klop de eierdooiers los met cognac en heet water, voeg beetje bij beetje de suiker toe en klop alles tot een dikschuimige massa. Roer er vervolgens met vlotte bewegingen de lauwwarme, vloeibare chocolade door.

▬ Roer het eiwit er met een garde door en spatel vervolgens de slagroom erdoor. Zet de crème enkele uren in de koelkast.

Sportief feestvieren

Feesten tijdens grote sportevenementen

Duizenden en duizenden supporters in de stadions, voor de grote schermen in de stad en voor de televisie thuis: bij grote sportgebeurtenissen horen feestvieren en supportersfeesten er gewoon bij. De aanleiding bepaalt het programma, de wedstrijd van die dag is hét thema. Verder is er niet zo heel veel nodig, zeker niet als er samen op de televisie of op een groot scherm naar een sportwedstrijd wordt gekeken, zoals een voetbalwedstrijd.

Voor dit spannende bij elkaar zijn moeten er voldoende zitplaatsen zijn. Daarbij is het niet zozeer belangrijk dat ze comfortabel zijn, maar wel dat het scherm goed zichtbaar is. Voor de gasten die niet enkel en alleen voor de sport komen, maar vooral voor het buffet en voor een 'onsportief' praatje moet een hoekje worden gereserveerd waar sportfans en niet-sporters elkaar niet te veel storen.

DE BESTE TIPS: SPORTFEEST

Het maakt niet uit of het Nederlands elftal speelt, de olym-
pische sporters goud willen halen of de 'eigen' club in actie
komt – als gastheer/gastvrouw van een sportfeest moet de
meeste aandacht uitgaan naar de sfeer. En die kan op de volgende manieren worden beïnvloed.

VERSIERING IN BIJPASSENDE KLEUREN

Voor de juiste sfeer zorgen versieringen in de clubkleuren of
de nationale kleuren. Bijpassende supportersartikelen, zoals

vlaggetjes, bierviltjes en slingers, zijn in winkels voor feestartikelen en in warenhuizen verkrijgbaar. En ook het buffet moet in die kleuren worden uitgevoerd: van de servetten tot en met de kleuren van de gerechten.

Speelveldversiering

Een schot in de roos bij een voetbalfeest is een grote speelveldtafel. Een groen tafellaken symboliseert het gras, de witte lijnen kunnen van tape worden gemaakt. Van een speelgoedvoetbalspel kunnen bijvoorbeeld de doelen, spelers en de bal worden gebruikt. Achter en naast de toeschouwers wordt een waslijn opgehangen, met daaraan shirts en sjaals in bijpassende kleuren.

Kleine snacks

Bij het bepalen van de snacks moet voor snelle hapjes worden gekozen, die de gasten niet afleiden van de televisie of het grote scherm. Prima geschikt hiervoor zijn bladerdeegstengels met kaas, stokbrood met dipsauzen of een grote schaal patat met mayonaise of ketchup. Echte

blikvangers zijn ook koekjes in de vorm van shirts of sportbroekjes. Deze kunt u ook als stijlvolle versiering over de hele tafel verdelen.

SPORTIEVE ONDERBREKINGEN

In de rust kijkt iedereen vol spanning uit naar de tweede helft. Om de sfeer wat te ontspannen, kunnen penalty's worden genomen tegen een speciale wand. Elke aanwezige mag drie keer proberen om de bal door de openingen in de wand te schieten. Wie daarbij het vaakst scoort, krijgt als prijs een goudkleurige medaille of een kleine beker. Het is het beste – en het veiligst – om de wand buiten op te stellen.

KLEDINGVOORSCHRIFTEN

Als brave wisselspelers op de bank vereenzelvigt iedereen zich natuurlijk met de spelers op het veld. Daarom zijn bij het sportfeest duidelijke kledingvoorschriften nodig. Verwacht wordt dat iemand het juiste shirt en een bijpassende sjaal draagt en een vlag bij zich heeft. Wie weigert om aan deze voorschriften te voldoen, krijgt meteen de rode kaart en wordt voor even weggestuurd.

SPORTIEVE MUZIEK

Bij alle grote sportevenementen van de afgelopen jaren was er minstens één lied dat overal te horen was. En dergelijke hits mogelijk bij een sportfeest thuis natuurlijk evenmin ontbreken. Omdat iedereen die liedjes kent, zijn ze ook ideaal om na het laatste fluitsignaal voor een uitgelaten stemming te zorgen – zelfs als het eigen elftal verloren heeft.

Miniburgers

INGREDIËNTEN: (voor 24 stuks) 16 sneetjes witbrood • 3 kleine uien • 350 g gemengd gehakt • 1 klein ei • 2 el mosterd • zout • peper • paprikapoeder, mild • olie voor het braden • 3-4 plakken Edammer kaas • 12 augurken • 3 el mayonaise • 2 grote bladeren ijsbergsla • 1,5 el ketchup • 24 cocktailprikkers met vlaggetjes

■ Steek uit elk sneetje brood met een glas 3 rondjes (ca. 3 cm ø). Week een handjevol restjes brood in water. Snipper ½ ui en snijd de rest van de uien in dunne ringen.

■ Meng gehakt, gesnipperde ui, ei, uitgeknepen brood en 1 el mosterd. Breng op smaak met zout, peper en paprikapoeder. Maak hiervan 24 kleine, platte burgers en braad ze.

■ Rooster het brood. Snijd de kaas in vierkantjes en de augurken in plakjes. Meng de mayonaise met de resterende mosterd, wat augurkennat, zout en peper en bestrijk de broodrondjes hiermee.

■ Scheur de gewassen slabladeren in 24 stukken en verdeel de helft ervan over de broodrondjes. Leg daarop telkens een burger, augurk, uiringen, ketchup en kaas en steek tot slot een tweede broodrondje vast met een spiesje.

Kerrieworst

Kerrieworst is een heerlijke versnapering bij een spannende voetbalwedstrijd. In Duitsland is dergelijke worst onlosmakelijk verbonden met voetbal, net als het bier. Het zal daar dan ook in geen enkel stadion ontbreken. De worst wordt altijd op speciale kartonnen schaaltjes geserveerd.

INGREDIËNTEN:
12 braadworstjes • 2 kleine uien • 10 augurken • 2 el olie • 1 el kerriepoeder • 1 mespuntje chilipoeder • 3 el sinas • 500 ml ketchup • 2 el water • zout • peper

■ Grill de braadworstjes of braad ze in de pan. Snijd ze met een scherp mes in stukjes van 1,5 cm breedte en zet apart.

■ Snijd de uien en augurken fijn. Verhit de olie in een pan en braad daarin eerst de ui en dan de augurk. Breng op smaak met kerrie en chilipoeder en blus met de sinas.

■ Meng de tomatenketchup en het water door de uienmassa en breng op smaak met zout en peper.

Shirtkoekjes

Voetbalshirts om op te eten – daarvoor zwichten zelfs echte kerels. De koekjes zijn een grappige versiering voor sportieve feesten. Het is het handigst om voor de vormen sjabloontjes van bakpapier te maken. De shirts kunnen later niet alleen van een rugnummer worden voorzien, maar ook van de namen van de gasten.

INGREDIËNTEN: (voor ongeveer 30 stuks) 300 g bloem • 175 g koude boter • 175 g suiker • 1 zakje vanillesuiker • 1 ei

▬ Doe de bloem in een kom, voeg de boter in stukjes toe, samen met de overige ingrediënten. Kneed tot een soepel deeg, wikkel in vershoudfolie en leg 30 minuten in de koelkast.

▬ Rol het deeg op een met bloem bestrooid werkvlak niet te dun uit. Snijd met behulp van de sjabloontjes de vormen uit en leg ze op een met bakpapier beklede bakplaat. Bak ze 10-12 minuten in het midden van een op 200 °C voorverwarmde oven. Laat ze vervolgens afkoelen.

▬ Kleur voor het garneren glazuur met levensmiddelenkleurstof en bestrijk de koekjes hiermee. Breng met een schrijfstift (verkrijgbaar in de supermarkt, bij de bakbenodigdheden) cijfers of namen op het droge glazuur of gebruik hiervoor garneercijfers en -letters van chocolade.

Feestelijke gelegenheden

Plechtige momenten

VIERINGEN MET GELIEFDEN

Een kroonjaar of een jubileum, een doop of een huwelijk, maar ook Pasen en Kerstmis: er zijn telkens weer prachtige aanleidingen om met geliefden een feestelijke dag of avond door te brengen.

Dergelijke vieringen onderscheiden zich vooral van andere feesten door de omlijsting: het is gebruikelijker om hier fijne gerechten te serveren of zelfs een compleet menu, en geen voedzame buffetgerechten. Ook staat het mooiste servies op tafel in plaats van plastic bordjes, en wordt een uitgelezen wijn geschonken en geen bier uit de thuistap. En: meestal komen er meerdere generaties bij elkaar, waardoor er ook met oudere en heel jonge familieleden rekening moet worden gehouden.

Maar het mag er ook niet te stijfjes aan toegaan, want het moet wel een vrolijk feest worden en geen treurige bedoening.

Toptips: feestelijke gelegenheden

Feestelijke gelegenheden moeten het hebben van een met zorg gecreëerde sfeer. Daarom moet vooraf op allerlei details worden gelet:

Goede planning

Feestelijke gelegenheden komen niet spontaan op – begin daarom vroeg met uitnodigen en met de voorbereidingen. De dag wordt beslist onvergetelijk als ook aan de kleinste details wordt gedacht, zoals de bloemen en de kaarsen die worden neergezet. Voor een perfecte sfeer is het noodzakelijk alles goed te plannen en te overdenken. Dat lukt alleen als u dat in alle rust doet. Maak daarom een uitgebreide checklist en een nauwkeurige indeling van het verloop van de feestelijkheden.

Grote tafel

Bij de meeste feesten wordt voor het versterken van de innerlijke mens vaak voor een buffet gekozen. Bij een feestelijke gelegenheid daarentegen is het gebruikelijk om aan een gedekte tafel te zitten – ongeacht of de gasten zichzelf bedienen van een buffet of dat het eten op tafel staat of kant-en-klaar op borden wordt geserveerd. Want bij een feestelijke gelegenheid past een mooi gedekte tafel vaak veel beter dan her en der geplaatste zit- en eetmogelijkheden. Is de tafel niet groot genoeg voor het gezelschap, dan kunt u ook meerdere tafels tegen elkaar zetten. Om voldoende plaats te hebben om te eten, moet iedere gast een breedte van minimaal 60 cm ter beschikking hebben. En om comfortabel te kunnen zitten, moet voor de stoel van een bewegingsruimte van 80 cm worden uitgegaan.

De juiste sfeer

Passend bij de aanleiding moeten alle decoraties zo perfect mogelijk op elkaar zijn afgestemd. Ton sur ton komt op een feestelijk gedekte tafel rustiger en sfeervoller over dan veel bontgekleurde, bij elkaar geraapte elementen. Tafellakens, servies, servetten, kaarsen en bloemen moeten harmoniëren; het is daarom belangrijk om hierover van tevoren goed na te denken, zodat alle kleuren en vormen stijlvol bij elkaar passen.

Decoratieve details

Een prachtig gedekte tafel moet het niet alleen hebben van smaakvolle tafellakens en

mooi porselein. Heel effectief zijn zorgvuldig neergezette borden, mooi gerangschikt bestek, gevouwen servetten en natuurlijk naamkaartjes. Bloemen en kaarsen mogen niet te hoog zijn, zodat de gast aan de overkant van de tafel alleen maar door de bloemen heen kan worden aangesproken! Ook stellen de gasten het altijd op prijs als warme gerechten op warme borden worden geserveerd. U kunt het servies 15 minuten voorwarmen in een oven van 75 °C.

Kinderen en ouderen

Bij grotere bijeenkomsten in familie-kring of met vrienden komen ook vaak kinderen mee, die zich snel vervelen als ze lange tijd alleen maar braaf aan tafel kunnen zitten. Om ervoor te zorgen dat de volwassenen in alle rust hun gesprekken kunnen voeren, is het verstandig om een leuk programma voor de kinderen te bedenken. Misschien een paar wedstrijdjes in de tuin, wat speel-goed of een tafel met papier en stif-ten om te tekenen. Maar ook aan de oudere familieleden moet speciale aandacht worden besteed: veel senioren houden ervan om bijvoor-beeld na het eten een kleine siësta te houden, anderen daarentegen hou-den dan meer van een wandeling.

CADEAUTAFEL

Bij verjaardagen en jubilea worden cadeaus overhandigd en die moeten een mooi plaatsje krijgen, waar ze goed tot hun recht komen. En denk er ook aan om vazen in allerlei formaten bij de hand te hebben voor de bloemen die worden gegeven.

DRANKJES IN KLASSIEKE VOLGORDE

Voor feestelijke gelegenheden bestaat een klassieke volgorde voor de drankjes: bij de ontvangst en voor het eten een aperitief, zoals een glas sherry, port of een mousserende wijn. Het aperitief mag niet te zwaar zijn zodat het de honger stilt. Bij het eten wordt wijn geschonken: bij lichte gerechten en vis is dat witte wijn, bij donker vlees en zwaardere gerechten rode wijn. Bij het dessert kunt u een dessertwijn serveren, bij de koffie daarna een klassiek digestief, zoals cognac of grappa. Bier wordt meestal alleen aangeboden als er speciaal naar wordt gevraagd, alle andere drankjes kunnen op tafel staan. En niet te vergeten het mineraalwater, de vruchtensappen en andere frisdranken, die stijlvol in karaffen worden geserveerd.

Paprikamousse
op spinaziegelei

INGREDIËNTEN: spinaziegelei: 400 g diepvries-bladspinazie • 6 blaadjes gelatine • 1 kleine ui • 30 g boter • zout • peper • 200 ml groentebouillon Paprikamousse: 800 g rode paprika's • 1 kleine ui • 4 el olijfolie • 500 ml groentebouillon • 100 ml sherry • zout • peper • 6 blaadjes gelatine • 150 g geklopte slagroom

■ Ontdooi de spinazie, week de gelatine in koud water. Snipper de ui, bak glazig in de boter en voeg de spinazie toe. Breng op smaak met zout en peper en schenk de bouillon erbij. Laat zo'n 10 minuten zachtjes koken.

■ Pureer de massa, laat iets afkoelen en roer na 10 minuten de uitgeknepen gelatine erdoor. Spoel 12 glazen om met koud water en vul ze met de spinaziemassa. Laat afkoelen.

■ Was de paprika's, verwijder zaad en zaadlijsten en snijd het vruchtvlees in blokjes. Snipper de ui. Fruit de ui glazig in de olie, voeg de blokjes paprika toe en laat lichtjes bruineren. Schenk bouillon en sherry erbij, breng op smaak met zout en peper en laat ongeveer 12 minuten koken.

■ Pureer de paprikamassa en haal door een fijne zeef. Knijp de gelatine uit en roer erdoor. Laat afkoelen en spatel dan de room erdoor. Schep de paprikamousse op de gelei en laat in de koelkast opstijven.

SERVEERTIP: een pittige knoflookdipsaus (blz. 57) is hier heerlijk bij.

Lamscarpaccio

INGREDIËNTEN: carpaccio: 350 g verse lamsrug • 2 teentjes knoflook • 6 el olijfolie • 1 el citroensap • zout • peper • 1 bosje bieslook Slaboeket: 2-3 soorten sla • 1 rode paprika • 2 grote, dikke wortels • vinaigrette van olijfolie, witte balsamicoazijn, zout en peper

■ Laat voor de carpaccio het lamsvlees eerst licht bevriezen en snijd dan in flinterdunne plakjes. U kunt het vlees ook gesneden bij de slager bestellen.

■ Snipper de knoflook. Roer met de olijfolie, citroen, zout en peper tot een marinade en leg de plakjes vlees erin.

■ Maak de vinaigrette. Maak de sla schoon en scheur grote bladeren in kleinere stukken. Was de paprika, verwijder zaad en zaadlijsten en snijd het vruchtvlees in 12 repen. Blancheer de wortels voor de 'kraag' en marineer deze in wat van de vinaigrette. Laat vervolgens uitlekken, schik met de andere ingrediënten voor de sla tot een decoratief boeket en besprenkel met vinaigrette. Voeg de plakjes carpaccio toe en garneer met fijngeknipt bieslook.

Mortadellalasagne

INGREDIËNTEN: 300 g courgette (geel) • 3 vlees-
tomaten • 1 bosje bosui • 6 el witte balsamicoazijn
• 10 el olijfolie • 2 tl mosterd • zout • peper • 1 mespuntje suiker • 36 plakjes mortadella • 1 bosje basilicum

▬ Was de courgette, schil hem desgewenst en snijd in
fijne reepjes. Snijd de tomaten kruislings in, schenk er
kokend water over en ontvel ze. Verwijder het zaad en
snijd het vruchtvlees in kleine blokjes. Maak de bosuitjes
schoon en snijd in dunne ringetjes. Meng al deze ingredi-
enten.

▬ Roer azijn, olie, mosterd, zout, peper en suiker tot
een vinaigrette, schenk deze over de groenten en laat een
uur intrekken.

▬ Schik voor de lasagne de groentesalade tusen de
plakjes worst en garneer met blaadjes basilicum.

TIP: vindt u 3 plakjes worst per portie te veel, gebruik
dan 2 plakjes of neem een soort die in een kleiner formaat
verkrijgbaar is (zoals saucisse de Lyon). Verwerk de voor
de salade genoemde ingrediënten dan in kleinere hoeveelheden.

Snoekbaars-koolrolletjes

Voor dit fijne visgerecht is wat handigheid vereist. Eerst wordt van snoekbaars een farce gemaakt, die u dan met zalm en fijn savooiekoolblad oprolt.

INGREDIËNTEN: 300 g slagroom • 2 eiwitten • zout • peper • kurkuma • 600 g snoekbaarsfilet • 12 savooiekoolbladeren (niet de buitenste) • 125 g zachte boter • 450 g verse, wilde zalm, in dunne plakjes

▬ Klop voor de farce slagroom en eiwitten door elkaar en breng op smaak met zout, peper en kurkuma. Snijd de snoekbaarsfilet in blokjes en roer deze door de roommassa. Laat 1 uur intrekken en zet het mengsel dan 15 minuten in de vriezer. Pureer de massa vervolgens met een staafmixer en schenk door een fijne zeef.

▬ Blancheer, tijdens het licht laten bevriezen van de farce, de koolbladeren, laat afkoelen en strijk tussen vellen keukenpapier glad met een deegroller. Leg telkens een koolblad op een stuk met boter ingevet aluminiumfolie en breng op smaak met zout en peper. Verdeel hierover wat farce en vervolgens wat van de zalm. Rol op, vouw de uiteinden van de folie om en wikkel in een tweede stuk folie. Verwerk de andere bladeren op dezelfde manier. Leg

de rollen in de braadslee van de oven, vul deze voor ⅔
met kokend water en verwarm 12 minuten op 150 °C.
Draai de rollen tussendoor een keer om.

Kip-paddenstoelenragout

INGREDIËNTEN: 1 kg gemengde paddenstoelen (zoals cantharellen, champignons) • 1 kg kipfilet • 2 el olie • 1 grote ui • 3 el bloem • 3 potten paddenstoelenfond (à 400 ml) • 50 g boterolie • 500 g crème fraîche • zout • peper • 500 g wijndruiven (zonder pit)

▬ Was de paddenstoelen en laat ze op keukenpapier drogen. Halveer ze indien nodig. Snijd de kipfilet in 3 cm grote blokjes en braad deze aan in de hete olie.

▬ Schil en snipper de ui. Voeg toe aan het vlees, bak glazig en strooi er dan de bloem over. Blus het vlees met 800 ml paddenstoelenfond en laat het, onder af en toe roeren, 20 minuten met het deksel op de pan zachtjes koken.

▬ Braad ondertussen in een andere braadpan de paddenstoelen ongeveer 3 minuten. Blus met de resterende fond en laat inkoken.

▬ Voeg de paddenstoelen bij het vlees, roer de crème fraîche erdoor en breng goed op smaak met zout en peper. Voeg de gehalveerde druiven toe aan het vlees en verwarm ze even mee. Garneer voor het serveren met wat hele druiven.

Salade met sesamballetjes

INGREDIËNTEN: gemengde bladsla • 1 kommer • ½ bosje radijs • 250 g aardappels (zeer kruimig) • 1 ui • 1 teentje knoflook • 6 cm gemberwortel • 8 blaadjes munt • 2 eieren • zout • peper • 1 mespuntje cayennepeper • 5 el bloem • 60 g sesamzaad • boter voor het braden

DRESSING: 10 el walnotenolie • 5 el witte balsamicoazijn • 3 sjalotjes • zout • peper • fijngehakte peterselie

▬ Maak van de sla, komkommer en radijsjes een bonte salade. Roer walnotenolie, azijn, gesnipperde sjalotjes, zout, peper en peterselie tot een dressing.

▬ Schil de aardappels voor de sesamballetjes, kook ze en stamp fijn als ze nog warm zijn. Snipper ui en knoflook en braad even aan in de boter. Schil en rasp de gember, snijd de munt fijn. Splits de eieren en roer de dooiers met de aardappel, ui, knoflook, gember, munt, zout en cayennepeper tot een aardappeldeeg. Maak hiervan kleine balletjes, wentel ze door de bloem, vervolgens door het eiwit en dan door het sesamzaad. Braad de balletjes in een pan in ongeveer 5 minuten rondom bruin in de boter.

▬ Meng de dressing door de salade en serveer met de sesamballetjes.

Kaaspralines

Kleine, pittige kaaspralines kunt u maken van heel uiteen-lopende kaassoorten en met heel veel verschillende smaak-toevoegingen. Milde varianten worden gemaakt van een verse kaassoort, van milde brie of van een andere zachte kaas. Voor de pittiger soorten kunnen blauwschimmelkaas, geitenkaas en ook schapenkaas worden gebruikt.

Ook met andere ingrediënten zijn volop variaties moge-lijk. Voor extra smaak zorgen specerijen, kruiden of een scheutje aromatische alcohol; de kleine lekkernijen worden omhuld met fijngehakte kruiden als bieslook of dille, met specerijen zoals roze peperbessen of paprikapoeder, maar ook amandelschaafsel of stukjes pistache zijn mogelijk.

Pralines van roomkaas:
meng 200 g koude mascarpone of ricotta en 100 geraspte Goudse kaas met een vork en breng op smaak met zout, witte peper en 1 tl balsamicoazijn. Maak hiervan kleine balletjes, wentel ze door fijngehakte pistachenootjes en zet ze in papieren bonbonvormpjes.

Roquefortpralines:
maak 250 g roquefort fijn en meng met 100 g verse roomkaas en 1 el port. Maak hiervan balletjes en wentel ze door fijngehakte walnoten.

Chocoladepuddinkjes uit de oven

INGREDIËNTEN: 100 g pure chocolade • 80 g gemalen hazelnoten • 5 eieren • 50 g zachte boter • 50 g suiker • 1 el cacaopoeder • 1 tl geraspte sinaasappelschil • 2 el sinaasappellikeur • 20 g fijngemaakte lange vingers • boter en suiker voor de vormpjes

■■■ Hak de chocolade fijn en laat au bain-marie smelten. Rooster de hazelnoten in een droge pan tot ze hun geur beginnen af te geven. Splits de eieren, houd de dooiers apart, klop de eiwitten stijf en zet in de koelkast.

■■■ Vet 12 soufflévormpjes (of een muffinvorm) in met boter en bestrooi met suiker.

■■■ Klop boter en suiker schuimig en roer de eierdooiers er een voor een door. Voeg vervolgens de iets afgekoelde chocolade, cacaopoeder, sinaasappelrasp en likeur toe.

■■■ Meng noten en fijngemaakte lange vingers en spatel dit met de eiwitten voorzichtig door de chocolademassa. Vul de vormpjes voor maximaal ⅔ met het mengsel. Schenk een laag water in een braadslee, zet de vormpjes daarin en verwarm ze ongeveer 40 minuten op 190 °C. Laat ze 5 minuten afkoelen en neem uit de vormpjes.

SERVEERTIP: serveer de puddinkjes op schijfjes sinaasappel die bestrooid zijn met fijngehakte pistachenootjes.

Kinderfeestjes

Kleurrijk en vrolijk

THEMAFEESTEN VOOR KINDEREN

Of de aanleiding nu een verjaardag is of iets heel anders, een kinderfeest wordt alleen dan onvergetelijk als de sfeer, het programma en het eten helemaal zijn afgestemd op de wensen van kinderen. Dat houdt in dat er van begin tot eind over het kinderfeest moet worden nagedacht en dat de voorbereidingen goed moeten zijn.

Het is het simpelst om de middag te koppelen aan een bepaald thema, zoals een indianenfeest of een prinsessenbal. Heel erg leuk zijn thema's die zowel mogelijkheden tot spelen als tot bewegen bieden, zoals een circusfeest. 'Komt dat zien: gedresseerde roofdieren, behendige jongleurs en grappige clowns.' De juiste outfit vindt u misschien tussen de carnavalsspullen, maar die kan ook eenvoudig met de kinderen zelf worden gemaakt, zoals diermaskers van beschilderd karton. En ook het eten kan perfect op dergelijke themafeestjes worden afgestemd, bijvoorbeeld met een circustaart.

DE BESTE TIPS: KINDERFEESTJES

LIJST MET VOORBEREIDINGEN

Het is verstandig om een lijst te maken met een overzicht van alle karweitjes die gedaan moeten worden, zoals de uitnodiging, het bepalen van de spelletjes of ideeën voor het eten. Als er een paar familieleden of vrienden worden betrokken bij de voorbereidingen en de dag zelf, kunnen de diverse karweitjes meteen aan een bepaald iemand worden toegewezen.

ENTHOUSIASTE HELPERS

Juist bij een kinderfeest is elke helpende hand welkom. Opa's en oma's, goede vrienden, peetooms en -tantes kunnen perfect worden ingeschakeld voor werk in de keuken, bij de barbecue of met het knutselen. Als er groepen of teams worden gevormd, dan zijn daarvoor ook begeleiders nodig. De leiding over de spelletjes moet echter maar aan één persoon worden toevertrouwd.

ALLES BIJ DE HAND

Voordat de jonge gasten arriveren, moet niet alleen al het lekkers zijn voorbereid, ook de benodigdhe-

den voor de spelletjes en de spullen voor het ver-
kleden moeten klaarliggen. Belangrijk: zorg dat
het fototoestel is opgeladen en klaarstaat. Nog
beter is het als een van de volwassenen verant-
woordelijk is voor het maken van de foto's.

MET ELKAAR DE CADEAUS BEWONDEREN

Helemaal in het begin kan het al snel een chaos
worden, waardoor de meegenomen cadeaus
onopgemerkt in een hoekje belanden. Om dit te
voorkomen kunt u de kinderen – met hun cadeau
– in een kring op de vloer laten plaatsnemen.
Daarmee kan het feest, onder begeleiding van een
bekend verjaardagsliedje, officieel beginnen. Vervolgens wordt via het draaien van een fles
bepaald welk van de kinderen aan de beurt is om
zijn cadeau te geven. Dat wordt dan uitgepakt
onder het toeziend oog van alle gasten. 'O, leuk!'

KLEURTAFEL

Iedereen weet dat het voor kinderen moeilijk is
om lange tijd rustig aan tafel te zitten. Een 'kleur-
tafel', in de vorm van een eettafel waarover gewoon (pak)papier is gelegd, fungeert niet alleen
als origineel tafellaken, maar kan ook meteen
onderdeel zijn van de bezigheden. Met behulp
van wat kleurpotloden kunnen snelle eters hun

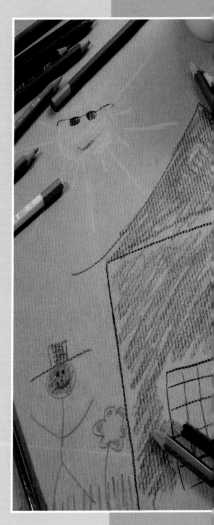

hart ophalen en nu eindelijk eens een echt meubelstuk versieren. De anderen eten misschien nog even door van hun taart of nemen nog lekker een slok van hun frisdrank.

BLIJVEN BEWEGEN

Vooral bewegingsspelletjes, dus ook dansspelletjes als de populaire stoelendans of zoekspelletjes – bijvoorbeeld onder een enorm laken –, leveren een uitgelaten stemming op. Bij pandverbeuren kunnen de panden via behendigheids- of denkspelletjes met een uiteenlopende moeilijkheidsgraad weer worden teruggewonnen.

PAUZES ZIJN BELANGRIJK

Rustpauzes worden door alle betrokkenen bij een kinderfeest verwelkomd. Op een comfortabele stapel kussen en plaids ontspannen de kleine gasten zich bijzonder goed als er een verhaaltje wordt voorgelezen. Om de spanning en de concentratie te verhogen, kunt u aansluitend een quiz organiseren over het vertelde verhaal.

VITAMINEN HOUDEN JE FIT

Eten en drinken houden lichaam en geest gezond. Dat geldt ook voor kinderen op vermoeiende feestjes. En het hoeft echt niet altijd zoetigheid of fastfood te zijn waardoor de kinderharten sneller gaan kloppen. Leuk opgediende rauwkostsnacks en fruit in een zoet jasje verdwijnen razendsnel in de kleine monden. Zorg dat u voldoende achter de hand hebt! Water en sap zijn ideaal om de nodige energie te verschaffen. Cola en zoete frisdrank mist niemand als er fruitige – suikerarme – drankjes worden geserveerd in bontgekleurde bekers en met een mooi rietje erin.

REGEL HET AFHALEN

Aan alles komt een eind – en een mooi eind, als u bij kinderfeestje alles vanaf het begin goed overziet. De ouders van de jonge bezoekers moet precies weten hoe laat ze hun kinderen kunnen terugverwachten. Heel belangrijk: regel het terugbrengen van de feestgangers. Het is het beste om met de ouders af te spreken wie de kinderen haalt en brengt en ook hoe laat.

Confetti-pastasalade

INGREDIËNTEN: 2 paprika's • 500 g kleine, ronde pasta • 200 g diepvrieserwten • 3 el olie • 1 klein potje zilveruitjes • 1 klein blikje maïs • 200 g cherrytomaatjes

DRESSING: 4 el slasaus • 350 g volle yoghurt • vocht van de zilveruitjes • zout • peper • verse kruiden naar smaak (peterselie, bieslook of tuinkers)

■ Was de paprika's, halveer ze, verwijder zaad en zaadlijsten en steek met een appelboor rondjes uit het vruchtvlees.

■ Kook de pasta in ruim kokend water met zout gaar. Voeg 2 minuten voor het einde van de kooktijd de erwten en paprikarondjes toe. Giet af, laat schrikken, voeg de olie toe en roer door.

■ Neem de zilveruitjes uit de pot en houd het vocht apart. Giet de maïs af, was de tomaten en voeg samen met de zilveruitjes toe aan de pasta.

■ Meng voor de dressing slasaus en yoghurt met 8 eetlepels van het uiennat. Roer door de salade en breng op smaak met zout, peper en de fijngehakte verse kruiden. Laat alles goed intrekken.

Spaghettiovenschotel

Deze spaghettischotel wordt in de braadslee van de oven gemaakt en als een pizza gegarneerd.

INGREDIËNTEN: 400 g spaghetti • zout • 4 bosuitjes • 4 tomaten • 12 plakjes salami • 6 cherrytomaatjes • 5 eieren • 300 ml melk • 200 g crème fraîche • kruidenzout • peper • 300 g geraspte Edammer kaas

■ Kook de spaghetti beetgaar in ruim water met zout. Giet af, spoel af onder koud water en laat goed uitlekken.

■ Maak de bosuitjes schoon en snijd in dunne ringetjes. Was de tomaten, halveer ze, verwijder het kroontje en snijd het vruchtvlees in kleine blokjes. Roer bosui en tomaat door de uitgelekte spaghetti.

■ Vet een braadslee in en schep de spaghettimassa erin. Verdeel hierover gelijkmatig de plakjes salami. Was de cherrytomaatjes en halveer ze; leg op elk plakje salami een half tomaatje.

■ Klop de eieren los met de melk en crème fraîche, breng op smaak met kruidenzout en peper en roer de geraspte kaas erdoor. Schenk de massa over de pasta. Bak het gerecht zo lang in een op 200 °C voorverwarmde oven tot de eiermassa stevig is (ongeveer 30 minuten). Wordt de schotel voor die tijd te donker, dek hem dan tot het eind van de bereidingstijd af met aluminiumfolie.

Knapperige kipsticks

Ook koud zijn deze kipsticks heerlijk en ze kunnen dan ook uitstekend van tevoren worden gemaakt.

INGREDIËNTEN:
kipsticks: 1 kg kipfilet • 2 eieren • zout • 200 g ongezouten pinda's • 8 el paneermeel • boterolie voor het braden
Dipsaus: 400 g zure room • 6 el ketchup • zout • peper

■ Snijd voor de kipsticks de kipfilets in reepjes van ongeveer 5 cm lengte.

■ Klop de eieren los in een diep bord en voeg zout toe. Hak de pinda's fijn en meng ze op een ander bord met het paneermeel. Wentel de reepjes kip eerst door het ei, vervolgens door het pindamengsel en braad ze goudbruin in de hete boterolie.

■ Laat de sticks uitlekken op keukenpapier, laat afkoelen en zet ze tot het serveren afgedekt in de koelkast.

■ Meng voor de dipsaus zure room en ketchup en breng op smaak met zout en peper.

Hotdogs

Hotdogs zijn erg in trek bij kinderen, zeker als ze de worstjes in de broodjes zelf mogen garneren. Bij heel kleine kinderen is het echter beter om de snack kant-en-klaar te serveren.

INGREDIËNTEN: 12 Weense worstjes • 1 klein potje augurken • 12 hotdogbroodjes of witte puntjes • ongeveer 12 el remouladesaus • 60 g ketchup • ongeveer 12 tl milde mosterd • 1 bakje gebakken uitjes

■ Verwarm de worstjes in heet water, maar laat het vocht niet koken, omdat ze dan stuk kunnen gaan.

■ Laat de augurken uitlekken en snijd schuin in dunne plakjes.

■ Bak de broodjes even op en snijd ze in de lengte in, maar niet helemaal door. Bestrijk de onderste helften met remouladesaus, ketchup en mosterd en beleg met de plakjes augurk. Leg in elk broodje een worstje en bestrooi met gebakken uitjes.

TIP: bij kinderen kunt u deze hotdogs in een puntzakje serveren, zodat uitjes en ketchup daarin worden opgevangen.

Bonte gehaktballetjes

INGREDIËNTEN: (voor ca. 25 kleine balletjes)
1 ui • ½ gele paprika • 750 g rundergehakt • 1 el tomatenpuree • 1 tl mosterd • 1 ei • 3 el paneermeel • zout
• peper • paprikapoeder, mild

■ Schil en snipper de ui. Maak de paprika schoon,
snijd hem eerst in repen en vervolgens in zeer kleine
blokjes.

■ Doe het gehakt in een kom. Voeg tomatenpuree,
mosterd, ei, paneermeel, zout, peper en paprikapoeder toe
en meng alles goed met de deeghaken van de mixer. Roer
er ten slotte de ui en paprika door.

■ Verwarm de oven voor op 200 °C. Bevochtig uw handen met koud water en vorm van het gehaktmengsel
ongeveer 25 kleine balletjes. Leg ze op een met bakpapier
beklede bakplaat en braad ze ongeveer 15 minuten in het
midden van de oven.

SERVEERTIP: niet alleen mosterd of ketchup smaken heerlijk bij deze gehaktballetjes, maar bijvoorbeeld
ook een kruidendip op basis van yoghurt en crème fraîche
of een zelfgemaakte salsa.

Muffinclowns

Grappige muffins met een heerlijke garnering – hier van slagroom en vruchten – zijn op elk kinderfeestje gegarandeerd een succes.

Ingrediënten: muffins: 175 g zachte boter • snufje zout • 150 g suiker • 1 zakje vanillesuiker • 4 eieren • 150 g zure room • 325 g bloem • 1 zakje bakpoeder Garnering: 200 ml slagroom • ½ zakje slagroomversteviger • ½ zakje vanillesuiker • bontgekleurde vruchten (kiwi, ananas, biologische sinaasappel, aardbeien) • tumtum of chocoladehagelslag

▬ Klop boter, zout, suiker en vanillesuiker met de mixer. Voeg een voor een de eieren toe en klop tot een schuimige massa. Roer de zure room erdoor. Meng bloem en bakpoeder en roer door de eiermassa.

▬ Verdeel het beslag over een ingevette muffinvorm of over 12 papieren cakevormpjes. Bak de muffins ongeveer 20-25 minuten in het midden van een op 175 °C voorverwarmde oven. Laat afkoelen en garneer ze vervolgens.

Garnering: klop de slagroom stijf met de slagroomversteviger en vanillesuiker en verdeel dit over de muffins. Snijd het fruit in stukjes en leg deze in de vorm van gezichten op de room. Gebruik desgewenst tumtum of hagelslag.

Circustaart

INGREDIËNTEN: biscuitdeeg: 5 eieren • snufje zout • 5 el heet water • 250 g suiker • 250 g bloem • ½ zakje bakpoeder
Vulling: 500 ml slagroom • 200 g pure chocolade • 1 pot kersen • 3 zakjes slagroomversteviger • 2 zakjes vanillesuiker • 3 el kersenjam • zoete decoratie voor het garneren

▬▬ Verwarm de slagroom in een pan. Breek de chocolade in stukjes en laat smelten in de room. Zet de massa een nacht lang in de koelkast.

▬▬ Splits voor het biscuitdeeg de eieren en klop de eiwitten stijf met zout. Klop de eierdooiers schuimig met heet water en voeg daarbij geleidelijk de suiker toe. Meng bloem en bakpoeder, zeef over de eierdooiermassa en roer door. Spatel tot slot het stijfgeklopte eiwit erdoor. Doe het deeg in een ingevette springvorm en bak ongeveer 45 minuten op 175 °C. Snijd het gebak vervolgens in drie lagen en laat afkoelen.

▬▬ Laat de kersen uitlekken en houd ongeveer 36 stuks apart voor de garnering. Klop de chocoladeroom stijf met slagroomversteviger en vanillesuiker.

▬▬ Bestrijk de onderste laag van het biscuitgebak met

jam, leg daarop de tweede laag, verdeel daarover wat cho-coladeroom en vervolgens de kersen. Bestrijk de rand van de taart met chocoladeroom en breng de rest van de room in de vorm van een koepel aan. Snijd de derde biscuitlaag als een taart in 12 punten. Zet 9 stukken als een dak op de taart. Vul de tussenruimtes op met de achtergehouden kersen en garneer de taart verder naar eigen inzicht.

Fruitcocktails

Ook kinderen vinden cocktails heerlijk – zeker als ze die zelf mogen mixen. Het volstaat dan meestal om verschillende soorten sap, ijsblokjes en in stukjes gesneden fruit klaar te zetten.

IJsblokjes worden pas echt leuk als u kleine vruchten in water invriest, zoals frambozen of kersen. Voor het koelen van de drankjes kunt u ook alleen fruit uit de diepvries gebruiken: bijvoorbeeld een pak aardbeien of frambozen of meloen- en perzikbolletjes die u zelf invriest.

MELOENGRANITA KOEL EN VERFRISSEND: pureer het van pitjes ontdane vruchtvlees van een kleine watermeloen en vries in ijsblokjeshouders in. Neem het 30 minuten voor het serveren uit de vriezer en laat iets ontdooien. Roer heel even door met de staafmixer en verdeel over glazen. Voeg aan elk glas een scheutje granaatappelsiroop toe en schenk er ijskoud mineraalwater bij.

SINAASAPPELSMOOTHIE: pureer 6 rijpe abrikozen (of 12 halve abrikozen uit blik) met 1 l sinaasappelsap en 500 g vanille-ijs. Garneer met fruitspiesjes.

Receptenregister

Fotoverantwoording

Fotografie: Raphael Pehle, Medien Kommunikation, Unna, Duitsland, m.u.v.: Ovidiu Iordachi: blz. 17, 182-184; Yuri Arcus: blz. 75; Benis Arapovis: blz. 76; Boris Djuranovic: blz. 77; Ryzhkov: blz. 78; Milkod: blz.79; Dimirti Shironosov: blz.152; Ron Chapple Studios: blz. 180; Knut Ninepuu: blz. 181; Andreas Rodriguez: blz. 208; Jan Skwara: blz. 209; Paul Maguire: blz. 211; Deanyne Flowers: blz. 212; Ijansempoi: blz. 212; Gordana Sermek: blz. 244; Francois Etienne Du Plessis: blz. 246; Emin Kuliyev: blz. 247; Jason Hawkins: blz. 249; Ariadna Gold: blz. 250; Aliaksadr Markau: blz. 251; Yojtech Vlk: blz. 272 (alle foto's: dreamstime.com); Peter Jobst: blz. 189 en blz. 185-187: fotolia.com

Onze bijzondere dank voor het advies bij het samenstellen van de recepten gaat uit naar Rolf Schmidt, Jens Reckermann en Roger Kimpel

Voor alle hulp bij het koken willen wij onze dank uitspreken aan: Man(n) kocht, Unna, Restaurant Morgentor, Unna.